Rhein-R

Vor.

Ein original *bikeline*-Radtourenbuch

Esterbauer

bikeline®-Radtourenbuch Rhein-Radweg 2
© 1994-2008, **Verlag Esterbauer GmbH**
A-3751 Rodingersdorf, Hauptstr. 31
Tel.: ++43/2983/28982-0, Fax: -500
E-Mail: bikeline@esterbauer.com
www.esterbauer.com

8. überarbeitete Auflage, Sommer 2008

ISBN: 978-3-85000-052-9

Bitte geben Sie bei jeder Korrespondenz
die Auflage und die ISBN an!

Das *bikeline*-Team: Birgit Albrecht, Heidi Authried, Beatrix Bauer, Michael Bernhard, Michael Binder, Veronika Bock, Karin Brunner, Nadine Dittmann, Sandra Eisner, Roland Esterbauer, Angela Frischauf, Dagmar Güldenpfennig, Carmen Hager, Karl Heinzel, Heidi Huber, Martina Kreindl, Sonja Landauer, Niki Nowak, Julia Pelikan, Petra Riss, Erik Schmidt, Gaby Sipöcz, Matthias Thal, Martin Wischin, Wolfgang Zangerl.

Bildnachweis: Andreas Gerth: 20; Birgit Albrecht: Umschlag klein, 42, 44, 49, 52, 57, 60, 60, 63, 64, 81, 86, 90, 116, 122, 130, 136, 39; Basel Tourismus: 20, 36; Basel Tourismus/Christof Sonderegger: 35; Basel Tourismus/Susanne Minder: 21; Breisach-Touristik: 46; Daniel Petkovic: 36; Fülbier / Reiß: 6, 7; Matthias Thal: 26, 58, 78; 96; Office Départemental du Tourisme du Bas-Rhin, Strasbourg: 56; Office de Tourisme Colmar/Struss: 32; Office de Tourisme Intercommunal des Bords du Rhin: 28; Peter Gartmann: Umschlag groß, 21; Stadtmarketing Offenburg: 70; Stadtmarketing Rastatt: 94; Stadtverwaltung Germersheim: 105; Stadtverwaltung Neuenburg: 38; Tourist-Information Speyer: 109; Tobias Sauer: 74, 24, 84; Verkehrsamt Nierstein: 129

Kartografie erstellt mit *axpand* (www.axes-systems.com)

bikeline

Was ist bikeline?

Wir sind ein Team von Redakteuren, Kartografen, Geografen und anderen Mitarbeitern, die allesamt begeisterte Radfahrerinnen und Radfahrer sind. Ins „Rollen" gebracht hat das Projekt 1987 eine Wiener Radinitiative, die begonnen hat Radkarten zu produzieren. Heute tun wir dies als Verlag mit großem Erfolg. Mittlerweile gibt's bikeline® und cycline® Bücher in fünf Sprachen und in vielen Ländern Europas.

Um unsere Bücher immer auf dem letzten Stand zu halten, brauchen wir auch Ihre Hilfe. Schreiben Sie uns, wenn Sie Unstimmigkeiten oder Änderungen in einem unserer Bücher entdeckt haben.

Wir freuen uns auf Ihre Rückmeldung (redaktion@esterbauer.com),

Ihre bikeline-Redaktion

Vorwort

Zwischen dem Hochrhein, der bei Basel das schweizerische Voralpenland verlässt, und dem romantisch-verklärten Mittelrhein im Engtal des Schiefergebirges erstreckt sich die Stromlandschaft der Oberrheinischen Tiefebene. Der Rhein hatte seit jeher als Grenze, Kulturträger oder als Transportweg europäische Bedeutung und verband immer schon wichtige Städte miteinander. Deren Kulturdenkmäler erzählen eindrucksvoll von den Epochen des Heiligen Römischen Reiches, der Reformation oder des Absolutismus. Die spektakuläre Rheinregulierung schuf in den letzten beiden Jahrhunderten die Voraussetzung für die landwirtschaftliche und industrielle Nutzung der oberrheinischen Tiefebene. Der Strom zeigt nichtsdestotrotz über weite Strecken eine faszinierende Altrheinlandschaft mit naturnahen Auwäldern.

Präzise Karten, genaue Streckenbeschreibungen, zahlreiche Stadt- und Ortspläne, Hinweise auf das kulturelle und touristische Angebot der Region und ein umfangreiches Übernachtungsverzeichnis – in diesem Buch finden Sie alles, was Sie für eine Radtour am Rhein benötigen – außer gutem Radlwetter, das können wir Ihnen nur wünschen.

Kartenlegende

Radrouten

Hauptroute, wenig KFZ-Verkehr

━━━ asphaltiert (main cycle route, low motor traffic)

– – – nicht asphaltiert (main cycle route, unpaved road)

▪▪▪▪▪ schlecht befahrbar (main cycle route, bad surface)

Radweg / Hauptroute, autofrei

━━━ asphaltiert (cycle path, without motor traffic, paved road)

– – – nicht asphaltiert (cycle path, unpaved road)

▪▪▪▪▪ schlecht befahrbar (cycle path, bad surface)

Ausflug od. Variante
(excursion or alternative route, low motor traffic)

━━━ asphaltiert (excursion or alternative route, paved road)

– – – nicht asphaltiert (excursion, unpaved road)

▪▪▪▪▪ schlecht befahrbar (excursion, bad surface)

Ausflug od. Variante, autofrei / Radweg
(excursion or alternative route, without motor traffic /cycle path)

━━━ asphaltiert (excursion or alternative route, paved road)

– – – nicht asphaltiert (excursion, unpaved road)

▪▪▪▪▪ schlecht befahrbar (excursion, bad surface)

━━━ sonstige Radrouten

▪▪▪▪▪ Radweg in Planung (planned cycle path)

KFZ-Verkehr (vehicular traffic)

●●●●● Radroute auf mäßig befahrener Straße
(cycle route with moderate motor traffic)

●●●●● Radroute auf stark befahrener Straße
(cycle route with heavy motor traffic)

●●●●● Radfahrstreifen (cycle lane)

━━━ mäßig befahrene Straße
(road with motor traffic)

━━━ stark befahrene Straße
(road with heavy motor traffic)

Steigungen / Entfernungen (gradient / distance)

━━━ starke Steigung (steep gradient, uphill)

━━━ leichte bis mittlere Steigung (light gradient)

3 Entfernung in Kilometern (distance in km)
Durch Rundung auf halbe Kilometer können Differenzen zu
den tatsächlich gefahrenen Kilometern entstehen.

⇨ Routenverlauf (cycle route direction)

UTM-Gitter(2km) (UTM-grid)

Radinformationen

🔧 Fahrradwerkstatt* (bike workshop*)

🚲 Fahrradvermietung* (bike rental*)

🚲 überdachter Abstellplatz* (covered bike stands*)

🚲 abschließbarer Abstellplatz* (lockable bike stands*)

⚠ Gefahrenstelle (dangerous section)

⚠ Text beachten (read text carefully)

▬ Treppe* (stairs*)

)(Engstelle* (narrow pass, bottleneck*)

Nur in Ortsplänen

🅿 Parkplatz* (parking lot*)

🅿 Parkhaus* (garage*)

✉ Post* (post office*)

🅐 Apotheke* (pharmacy*)

🅗 Krankenhaus* (hospital*)

🅕 Feuerwehr* (fire-brigade*)

🆄 Polizei* (police*)

🎭 Theater* (theatre*)

Maßstab 1 : 75. 000

1 cm ≙ 750 m   1 km ≙ 13,3 mm

| 0 | 1 | 2 | 3 | 4 | 5 | 6 | 7 | 8 | 9 | 10 | 11 | 12 | 13 | 14 | 15 km |

Wichtige bzw. sehenswerte thematische Informationen

Schönern sehenswertes Ortsbild (picturesque town)

(🚻🅰️⏺) Einrichtung im Ort vorhanden (facilities available)

🏨 Hotel, Pension (hotel, guesthouse)

🏠 Jugendherberge (youth hostel)

🅰️ Campingplatz (camping site)

⛺ Naturlagerplatz* (simple tent site*)

ℹ️ Tourist-Information (tourist information)

🛍️ Einkaufsmöglichkeit* (shopping facilities*)

🥤 Kiosk* (kiosk*)

🍴 Gasthaus (restaurant)

🛏️ Rastplatz* (resting place*)

🏠 Unterstand* (covered stand*)

🏊 Freibad (outdoor swimming pool)

🏊 Hallenbad (indoor swimming pool)

⛪ Kirche, Kloster (church, monastery)

🏰 Schloss, Burg (palace, castle)

🏯 Ruine (ruins)

🏛️ Museum (museum)

⚒️ Ausgrabungen (excavation)

✳️ andere Sehenswürdigkeit (other place of interest)

🐾 Tierpark (zoo)

🔺 Naturpark (nature reserve)

🔅 Aussichtspunkt (panoramic view)

⛴️ Fähre (ferry)

Topographische Informationen

♀ Kirche (church)

♂ Kapelle (chapel)

♀ Kloster (monastery)

♂ Schloss, Burg (castle)

♂ Ruine (ruins)

♀ Turm (tower)

♀ Funk- und Fernsehanlage (TV/radio tower)

♂ Kraftwerk (power station)

⚡ Umspannwerk (transformer)

♀ Windmühle (windmill)

♂ Windkraftanlage (wind turbine)

+ Wegkreuz (wayside cross)

✕ Gipfel (peak)

⚒️ Bergwerk (mine)

♀ Leuchtturm (lighthouse)

⊙ Sportplatz (sports field)

🎗️ Denkmal (monument)

✈️ Flughafen (airport, airfield)

🚤 Schiffsanleger (boat landing)

ᵠ Quelle (natural spring)

⬭ Kläranlage (purification plant)

 Staatsgrenze (international border)

Landesgrenze (country border)

Kreisgrenze, Bezirksgrenze (district border)

Wald (forest)

Felsen (rock, cliff)

Vernässung (marshy ground)

Weingarten (vineyard)

Friedhof (cemetery)

Watt (shallows)

Dünen (dunes)

Gletscher (glacier)

Damm, Deich (embankment, dyke)

Staumauer (dam, groyne)

Autobahn (motorway)

Hauptstraße (main road)

untergeordnete Hauptstraße (secondary main road)

Nebenstraße (minor road)

Fahrweg (carriageway)

Fußweg (footpath)

Straße in Bau (road under construction)

Eisenbahn m. Bahnhof (railway with station)

Schmalspurbahn (narrow gage railway)

Höhenlinie 100m/50m (contour line)

Inhalt

Der Rhein-Radweg

Eine der reizvollsten Natur- und Kulturlandschaften Mitteleuropas findet der Radfahrer im Oberrheingraben vor, der ihm zudem ideale Verhältnisse zum Radfahren bietet: ebenes Gelände, beinahe mediterranes Klima, geringe Niederschläge

und günstige Windverhältnisse. Zu verdanken sind diese Verhältnisse dem oberrheinischen Grabenbruch, der das Gewässersystem des Rheins, eben die oberrheinische Tiefebene auf einer Länge von rund 300 Kilometern und einer Breite von bis zu 60 Kilometern entstehen ließ.

Die begleitenden Mittelgebirge, im Osten der Schwarzwald, Kraichgau und Odenwald und im Westen die Vogesen, der Pfälzer Wald und das rheinhessische Hügelland rahmen das Rheintal ein. Der Rhein-Radweg eröffnet den Blick auf den viel besungenen Strom, die Schifffahrt und die Hafen- und Schleusenanlagen, aber auch auf unberührte Auenwälder mit reichhaltiger Fauna und Flora. Der Radweg führt aber auch durch reizvolle Städte, Dörfer und Weinanbaugebiete, welche mit einem reichhaltigen touristischen, kulturellen und kulinarischen Angebot aufwarten.

Landschaft, kulturelle Zeugnisse und gastronomische Leckerbissen lassen sich nicht beschreiben, der Radfahrer muss sie einfach selbst erleben.

Streckencharakteristik

Länge

Die Länge des Rhein-Radweges von Basel bis Mainz beträgt 383 Kilometer am linken Ufer und 409 Kilometer am rechten Ufer. Zusätzlich finden Sie Varianten, Ausflüge und Umleitungshinweise von insgesamt rund 300 Kilometern.

Wegequalität & Verkehr

Die Wegequalität entlang des Rheins ist je nach Region sehr unterschiedlich. In Deutschland, am rechten Rheinufer, fahren Sie die meiste Zeit auf autofreien, meist unbefestigten Treppel- oder Dammwegen (d. s. sandgebundene, teilweise mit feinem Schotter abgedeckte Wege) von streckenweise sehr unterschiedlicher Qualität, verkehrsarmen Landwirtschaftswegen und asphaltierten Radwegen entlang des Hochwasser-dammes. In Frankreich, am linken Rheinufer, sind Sie hauptsächlich auf Dammwegen, verkehrsarmen Nebenstraßen und Fahrwegen unterwegs. Ab und zu fahren Sie jedoch auch auf Straßen mit mäßigem Verkehrsaufkommen.

Beschilderung

Eine einheitliche Beschilderung der **Internationalen**

Veloroute Rhein/Rhin mit nebenstehendem Logo sollte zwar bereits seit Jahren durchgehend beidufrig bis Mainz und Wiesbaden fertig gestellt sein – die Realität sieht leider in Deutschland vielerorts immer noch ganz anders aus! In Frankreich hingegen kann die Wegweisung und meist auch die Streckenauswahl und Zustand als

vorbildlich bezeichnet werden! Im Abschnitt Lauterbourg (Frankreich) bzw. Neuburg (Deutschland) bis Worms ist der Rheinradweg hingegen beidufrig neu ausgeschildert worden.

Wir haben versucht, immer die offizielle Route zu beschreiben, doch angesichts manchmal kryptischer oder „vielsagender" Wegweiser (eine Route soll in drei Richtungen weiterführen!) gelingt das zumindest im deutschen Teil nicht immer. Ein „Konkurrenzproblem" mit zahlreichen kreuzenden oder parallel verlaufenden Radrouten mit eigener, teils besserer Wegweisung verwirrt leider oft zusätzlich. Keinesfalls sollten Sie in Baden-Württemberg die ufernahe Veloroute Rhein mit dem **Rheintal-Weg** verwechseln, der in der Regel weiter östlich am

Talrand verläuft. Die Veloroute Rhein in Hessen führt streckenweise identisch mit dem **Hessischen Radfernweg Nr. 6**.

Tourenplanung

Sportlichere Radfahrer oder Radfahrerinnen werden die gesamte Tour in drei bis vier Tagen zurücklegen können. Möchten Sie aber ein eher gemütliches Tempo anschlagen oder sich für den Besuch der Sehenswürdigkeiten oder zum Baden Zeit nehmen, so sollten Sie mindestens eine Woche einplanen – und sei es nur für einen spontanen Ruhetag an einem Ort, wo es Ihnen besonders gut gefällt.

Wichtige Telefonnummern

Internationale Vorwahlen:
nach Deutschland: 0049
nach Frankreich: 0033
in die Schweiz: 0041
Achtung: In der Schweiz müssen Sie immer die Vorwahl wählen, auch wenn Sie sich schon im betreffenden Vorwahlkreis befindet. So ist das beispielsweise für Basel 061.

Zentrale Infostellen

Schwarzwald Tourismus GmbH, Ludwigstr. 23, D-79104 Freiburg, ☎ 01805/661224, www.schwarzwald-tourist-info.de

Agence de développement touristique du Bas-Rhin; 9, rue du Dôme, B. P. 53, F-67061 Strasbourg, ☎ 0033/388/154580, www.tourisme67.com

Association Départemental du Tourisme du Haut Rhin – Maison du Tourisme; 1, rue Schlumberger, B. P. 337, F-68006 Colmar, ☎ 0033/389/201068

Rheinland-Pfalz Tourismus, Löhrstr. 103-105, D-56068 Koblenz, ☎ 0261/915200, www.rlp-info.de

Hessen Touristik Service e. V., Abraham-Lincoln-Str. 38-42, D-65189 Wiesbaden, ☎ 0611/7748091, www.hessen-tourismus.de

Umrechnungskurs

1 € = 1,59 Schweizer Franken
1 Schweizer Franken = 0,63 €
(je nach Tageskurs)

Anreise & Abreise

Mit der Bahn

Informationsstellen:

Österreichische Bundesbahnen: CallCenter ☎ 05/1717 (österreichweit zum Ortstarif) www.oebb.at

Radfahrer-Hotline Deutschland: ☎ 01805/151415 (€ 0,14/Min.), Mo-So 8-20 Uhr, Infos über Fahrradmitnahme, -vermietung oder -versand

Einen 24-Stunden-Service bietet die Bahn unter der ☎ 01805/996633

ReiseService: ☎ 11861 (€ 0,03/Sek., ab Weiterleitung zum ReiseService € 0,39/Min.), Mo-So 0-24 Uhr, Auskünfte über Zugverbindungen, Fahrpreise im In- und Ausland, Buchung von Tickets und Reservierungen www.bahn.de/bahnundbike.

Automatische DB-Fahrplanauskunft: ☎ 0800/1507090 (gebührenfrei aus dem Festnetz), ☎ 01805/221100 (€ 0,12/Min. aus dem Mobilfunknetz)

ADFC: weitere Infos und aufgeschlüsselte Einzelverbindungen unter www.adfc.de/bahn

Hermes-Privat-Service:(☎ 0900/1311211

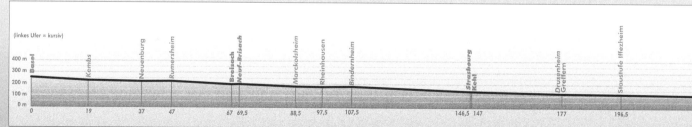

€ 0,60/Min.), www.hermes-logistik-gruppe.de unter der Rubrik Paketservice erfahren Sie die genauen Zustellzeiten und die aktuellen Preise.

Fahrradtransport

In Deutschland: Es gibt täglich mehrere Abfahrten von verschiedenen deutschen Bahnhöfen mit Fernverkehrszügen, viele davon bieten den Service der Fahrradmitnahme an. Diese Züge sind in Fahrplänen, Kursbüchern etc. entsprechend gekennzeichnet.

In vielen **InterCity (IC), EuroCity (EC) und D-Zügen** ist der Transport im Tagesreiseverkehr problemlos. Im **DBNachtZug (NZ)** ist die Mitnahme auf den meisten Linien ebenfalls möglich (gegen Kauf einer Fahrradkarte). Eine Stellplatzreservierung ist erforderlich, diese ist kostenlos.

Die **CityNightLine (CNL)** bietet auf allen Linien eine Fahrradbeförderung an. Räder aller Art werden (auch ohne spezielle Verpackung) gegen einen Preis von € 10,– (innerdeutsch € 9,–, für BahnCard-Besitzer € 6,–) mitgenommen. Ausnahme: Tandemräder nur auf Anfrage und für Fahrradanhänger müssen Sie einen eigenen Stellplatz buchen. Die Reservierung ist kostenlos, muss jedoch im Voraus erfolgen.

In Deutschland funktioniert der Versand über den KurierGepäck-Service. Er bringt Ihr Fahrrad und auch ihr Gepäck, von Haus zu Haus, d. h. Sie benötigen für die Abholung und Zustellung eine Privatadresse. Dieser Service kann vor der Hinreise bei allen DB-Verkaufsstellen gebucht werden. Der Rückreisetransport kann aber auch schon

beim Kauf des Hintransportes mitgebucht werden. Die Zustellung erfolgt innerhalb von Deutschland binnen zwei Werktagen. Das KurierGepäck-Ticket kaufen Sie am besten gleich mit Ihrer Fahrkarte oder Sie bestellen es beim Hermes-Privat-Service (s. Infostellen).

Bei Abholung muss das Fahrrad transportgerecht verpackt sein. Der Kurierfahrer bringt Ihnen auf Wunsch eine Mehrwegverpackung zum Preis von € 5,10 gerne mit.

KurierGepäck-Preise innerhalb Deutschlands:

erstes und zweites Rad	je € 24,90
drittes und viertes Rad	je € 18,90
(bei gleicher Abhol- und Lieferadresse)	
Aufpreis für Spätservice	€ 6,30

Wenn Sie Ihr Fahrrad mit dem Hermes-Privat-Ser-

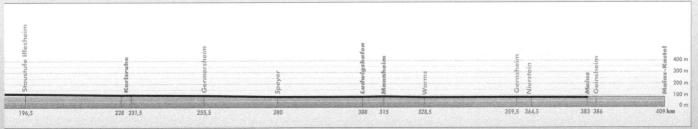

vice unabhängig von einem Bahnticket versenden möchten, dann kostet das € 39,90.

Der Fahrradversand wird auch in die Länder Luxemburg, Österreich, Schweiz und nach Südtirol angeboten.

Für den internationalen Zugverkehr zwischen Deutschland und Österreich benötigen Sie eine Internationale Fahrradkarte zum Preis von € 10,–.

Fahrradversand

Fahrradversand: Wenn Sie **in Deutschland** Ihr Fahrrad im Voraus als Reisegepäck verschicken wollen, wird dieses über den **Hermesversand**, ☏ 0900/1311211 (€ 0,60/Min.), abgewickelt. Der Versand wird entweder im Zusammenhang mit einer Bahnfahrt durchgeführt oder als eigener Transport – die Abwicklung erfolgt gleich, die Kosten unterscheiden sich jedoch. Der Transport in Verbindung mit dem Kauf einer Bahnfahrkarte (KurierGepäck-Ticket) kostet im Inland jeweils € 24,10 (für die ersten beiden Fahrräder), € 18,10 (für das dritte und vierte Fahrrad). Wenn Sie das Fahrrad mit dem Hermes-Versand als Privatkunde, also unabhängig von einem Bahnticket verschicken möchten, dann kostet der Versand € 39,90. Für das Versenden von Fahrrädern besteht Verpackungspflicht. Verpackun-

gen werden auf Bestellung zum Preis von € 5,90 mitgeliefert. Die Zustellung dauert zwei Werktage. Der Fahrradversand erfolgt nur von Haus zu Haus, d. h. Sie benötigen sowohl für die Abholung als auch für die Zustellung eine Privatadresse. Falls Sie keine Privatadresse für die Zustellung am Zielort angeben können, dann versuchen Sie es über eine private Fahrradstation vor Ort. Die genauen Zustellzeiten und aktuellsten Preise erfahren Sie auch im Internet unter www.hermes-logistik-gruppe.de unter der Rubrik Paketservice.

Mitnahme in Frankreich: Im französischen Binnenverkehr können Sie Fahrräder im Fernverkehr nur in Zügen, die im Fahrplan mit dem Fahrradpiktogramm ☙ ausgezeichnet sind, mitnehmen – kostenfrei und mit Selbstverladung. In Nahverkehrszügen wird Ihr Fahrrad ebenfalls kostenfrei fast überall mitgenommen. Bei grenzüberschreitenden Zügen nach Deutschland entscheidet bei Platzproblemen im Zweifelsfall das Zugpersonal. Verpackte und zusammengefaltete Fahrräder, die die Maße 1,20 m x 0,90 m nicht überschreiten, können in allen Binnenverkehrszügen als Handgepäck mitgenommen werden.

Für die grenzüberschreitende Fahrradmitnahme benötigen Sie eine internationale Fahrradkarte zum Preis von € 10,–.

Versand in Frankreich: Wird leider nicht angeboten.

An- und Abreise mit dem Auto

Der Startpunkt Basel liegt an den Schweizer Autobahnen A3, A2 und A35 und ist somit per Auto gut erreichbar.

Von München fahren Sie beispielsweise rund 4 Stunden, von Stuttgart 2 Stunden und 30 Minuten, und von Bern aus müssen Sie mit mindestens einer Stunde Anfahrtszeit rechnen.

An- und Abreise mit dem Flugzeug

Ein Großteil der Fluggesellschaften bietet schon den Service eines Fahrradtransportes an, daher ist für große Distanzen die Anreise per Flugzeug eine gute Alternative zu Auto oder Bahn. Den Ausgangspunkt Ihrer Radreise – Basel – fliegen die meisten europäischen Fluglinien an. Bei früher Buchung sind die Flüge der Billig-Airlines die preisgünstigste Variante. Für die Abreise empfiehlt es sich mit der Bahn von Mainz zum Flughafen in Frankfurt/Main zu fahren und von dort abzufliegen. Auf folgenden Internetseiten der Flughäfen finden Sie noch alle Informationen für den Transfer vom Flughafen zum Hauptbahnhof und umgekehrt: www.euroairport.com (Basel), www.frankfurt-airport.de (Frankfurt/Main). Beachten Sie bitte unbedingt die sehr unterschiedlichen Tarife und Verpackungsvorschriften der Fluggesellschaften für den Fahrradtransport. Genauere Informationen bezüglich Verpackung, Versicherung und technischen Details erhalten Sie bei der Fluglinie Ihrer Wahl, Ihrem Reisebüro oder bei Ihrem Fahrradfachhändler.

Rad & Bahn entlang der Strecke

Parallel zum Rhein und somit zu Ihrer Reiseroute verläuft – meist sogar beidseitig – eine Bahnlinie, auf die Sie bei Bedarf umsteigen können.

Rad & Schiff

Die **Rheinfähren** zwischen Deutschland und Frankreich haben sich unter dem Titel CARING zusammengeschlossen und betreiben ein Info-Telefon unter ☎ 0033/(0)388/597-658 (am Wochenende -659, Staustufe Gambsheim). Weitere, halbjährlich aktualisierte Informationen zu den Rheinfähren bietet der ADFC Mannheim unter www.adfc-bw.de/mannheim/mitnahme.html.

Übernachtung

Der Tourismus am Oberrhein konzentriert sich hauptsächlich auf die größeren Städte, dennoch verfügen auch die kleineren Orte über eine gut entwickelte Infrastruktur. Sie finden auch hier gut ausgestattete Hotels und private Gästezimmer und beste Gastronomie. Zur Hauptreisezeit kann es empfehlenswert sein, sich Zimmer im Voraus zu reservieren, um unliebsamen Überraschungen vorzubeugen.

Bei unseren Recherchen haben wir natürlich versucht eine größtmögliche Auswahl für Sie zusammenzustellen. Für alle, die Alternativen oder einfach noch mehr Anbieter suchen, gibt es nachfolgende Internet-Adressen, die auch Beherbergungen der etwas anderen Art anbieten:

Der ADFC-Dachgeber: Funktioniert nach dem Gegenseitigkeitsprinzip: Hier bieten Radfreunde anderen Tourenradlern private Schlafplätze an. Mehr darüber unter www.dachgeber.de.

Das **Deutsche Jugendherbergswerk** stellt sich unter www.djh.de mit seinen vierzehn Landesverbänden vor.

Auch die **Naturfreunde** bieten mit ihren **Naturfreundehäusern** eine Alternative zu anderen Beherbergungsarten, mehr unter

www.naturfreunde.de.
Und unter www.camping-in.de oder www.campingplatz.de finden Sie flächendeckend den **Campingplatz** nach Ihrem Geschmack. Und zuletzt bietet **Bett & Bike** unter www.bettundbike.de zusätzliche Informationen zu den beim ADFC gelisteten Beherbergungsbetrieben in ganz Deutschland.

Mit Kindern unterwegs

Kurze Teilabschnitte, wie beispielsweise entlang vom Canal du Rhone au Rhin sind für Kinder geeignet. Allerdings können wir die gesamte Route entlang des Rheins für Kinder nicht empfehlen, da immer wieder Abschnitte im Verkehr oder auf schwierigen Belägen entlangführen.

Weitere bikeline-Titel der Region:

bikeline-Radtourenbuch **Rhein-Radweg 1**
bikeline-Radtourenbuch **Rhein-Radweg 3**
bikeline-Radtourenbuch **Elsass**
bikeline-Radtourenbuch **Drei-Täler-Radweg**
bikeline-Radtourenbuch **Pfalz**
bikeline-Radtourenbuch **Rhein-Neckar**
bikeline-Radtourenbuch **Stuttgart**
bikeline-Radtourenbuch **Rheinhessen**

bikeline-Radtourenbuch **Main-Radweg**
bikeline-Radtourenbuch **Nahe-Radweg**
bikeline-Radkarte **Elsass Nord**
bikeline-Radkarte **Elsass Süd**
bikeline-Radkarte **Rhein-Main Taunus**

Neu: Hikeline-Titel in der Region

Seit dem Frühjahr 2008 können Sie mit uns nicht nur Rad fahren, sondern auch wandern. Unsere neue *Hikeline*-Reihe im kompakten Format 10,5 x 16 cm bietet Ihnen mit optimalen Wanderkarten, genauer Wegbeschreibung und zahleichen touristischen Informationen – einschließlich Übernachtungsverzeichnis – einen gewohnt verlässlichen Reisebegleiter. Entlang des Rheins finden Sie folgende Titel:
hikeline Rheinsteig (310 km)
hikeline Westerwaldsteig (230 km)

Radreiseveranstalter:

Radissimo GmbH, Hennebergstr. 6, D-76131 Karlsruhe, ✆ 0049/721/3548180, Fax: 0049/721/35481818, www.radissimo.de
Austria Radreisen, Joseph-Haydn-Str. 8, A-4780 Schärding, ✆ 0043/7712/55110, Fax: 0043/7712/4811, www.austria-radreisen.at

Eurobike Eurofun Touristik GmbH, Mühlstr. 20, A-5162 Obertrum am See, ℰ 0043/6219/7444, Fax: 0043/6219/8272, www.eurobike.at
PEDALO Touristik GmbH, · Kickendorf 1a, A-4710 Grieskirchen, ℰ 0043/7248/635840, Fax 0043/7248/635844, www.pedalo.com
RadClub Deutschland, Ravensburger Str. 10f, D-33602 Bielefeld, ℰ 0521/595577, Fax: 0521/595597, www.radclub.de
Rad & Reisen GmbH, Schickgasse 9, A-1220 Wien, ℰ 0043/1/40538730, Fax:0043/1/405387317, www.fahrradreisen.at
Reisen & Radeln, Limburgstr. 32, ℰ 07023/7433330, Fax: 07023/7433336, www.reisen-radeln.de
Rückenwind Reisen GmbH, Industriehof 3, D-26133 Oldenburg, ℰ 0441/485970,

Fax: 0441/4859723, www.rueckenwind.de
Velotours Touristik GmbH, Ernst-Sachs-Str. 1, D-78467 Konstanz, ℰ 07531/98280, Fax: 07531/982898, www.velotours.de
Espace Randonnée - Carnet de voyages; 57, rue du Gal Philippot, F-67340 Ingwiller, ℰ 0033(0)388/892607, Fax: 0033(0)388/895028, www.espace-randonnee.com

Zu diesem Buch

Dieser Radreiseführer enthält alle Informationen, die Sie für den Radurlaub entlang des Rheins benötigen: Exakte Karten, eine detaillierte Streckenbeschreibung, ein ausführliches Übernachtungsverzeichnis, Stadt- und Ortspläne und die wichtigsten Informationen zu touristischen Attraktionen und Sehenswürdigkeiten.

Und das alles mit der *bikeline*-Garantie: die Routen in unseren Büchern sind von unserem professionellen Redaktionsteam vor Ort auf ihre Fahrradtauglichkeit geprüft worden. Um höchste Aktualität zu gewährleisten, nehmen wir nach der Befahrung Korrekturen von Lesern bzw. offiziellen Stellen bis Redaktionsschluss entgegen, die dann jedoch teilweise nicht mehr an Ort und Stelle verifiziert werden können.

Das Konzept

Da der Rheinradweg von Basel bis Mainz sowohl am linken als auch am rechten Ufer entlangführt, finden Sie in diesem Buch insgesamt fünf Abschnitte, wo jeweils zunächst der Radweg links des Rheins und anschließend jener am rechten Ufer der Teilstrecke beschrieben wird. Zahlreiche Tipps und Alternativen weisen immer wieder darauf hin, wo Sie am besten den Rhein überqueren und somit am anderen Ufer weiterradeln können.

Die Karten

Die Detailkarten sind im Maßstab 1 : 75.000 erstellt. Dies bedeutet, dass 1 Zentimeter auf der Karte einer Strecke von 750 Metern in der Natur entspricht. Zusätzlich zum genauen Routenverlauf informieren die Karten auch über die Beschaffenheit des Bodenbelages (befestigt oder unbefestigt), Steigungen (leicht oder stark), Entfernungen sowie über kulturelle, touristische und gastronomische Einrichtungen entlang der Strecke.

Allerdings können selbst die genauesten Karten den Blick auf die Wegbeschreibung nicht ersetzen. Komplizierte Stellen werden in der Karte mit diesem Symbol ▲ gekennzeichnet, im Text finden Sie das gleiche Zeichen zur Markierung der betreffenden Stelle wieder. Beachten Sie, dass die empfohlene Hauptroute immer in Rot und Violett, Varianten und Ausflüge hingegen in Orange dargestellt sind. Die genaue Bedeutung der einzelnen Symbole wird in der Legende auf den Seiten 4 und 5 erläutert.

Höhen- und Streckenprofil

Das Höhen- und Streckenprofil gibt Ihnen einen grafischen Überblick über die Steigungsverhältnisse, die Länge und die wichtigsten Orte entlang der Radroute. Es können in diesem Überblick nur die markantesten Höhenunterschiede dargestellt werden, jede einzelne kleinere Steigung wird in dieser grafischen Darstellung nicht berücksichtigt. Die Steigungs- und Gefälleverhältnisse entlang der Route finden Sie im Detail mit Hilfe der Steigungspfeile in den genauen Karten.

Der Text

Der Textteil besteht im Wesentlichen aus der genauen Streckenbeschreibung, welche die empfohlene Hauptroute enthält. Stichwortartige Streckeninformationen werden, zum leichteren Auffinden, von dem Zeichen ‒ begleitet.

Unterbrochen wird dieser Text gegebenenfalls durch orangefarbige Absätze, die Varianten und Ausflüge behandeln.

Ferner sind alle wichtigen **Orte** zur besseren Orientierung aus dem Text hervorgehoben. Gibt es interessante Sehenswürdigkeiten in einem Ort, so finden Sie unter dem Ortsbalken die jeweiligen Adressen, Telefonnummern und Öffnungszeiten.

Die Beschreibung der einzelnen Orte sowie historisch, kulturell oder naturkundlich interessanter

15

Gegebenheiten entlang der Route tragen zu einem abgerundeten Reiseerlebnis bei. Diese Textblöcke sind kursiv gesetzt und unterscheiden sich dadurch auch optisch von der Streckenbeschreibung.

Textabschnitte in Violett heben Stellen hervor, an denen Sie Entscheidungen über Ihre weitere Fahrstrecke treffen müssen, z. B. wenn die Streckenführung von der Wegweisung abweicht oder mehrere Varianten zur Auswahl stehen u. ä.

Sie weisen auch auf Ausflugtipps, interessante Sehenswürdigkeiten oder Freizeitaktivitäten etwas abseits der Route hin.

Übernachtungsverzeichnis

Auf den letzten Seiten dieses Radtourenbuches finden Sie zu fast allen Orten entlang der Strecke eine Vielzahl von Übernachtungsmöglichkeiten vom einfachen Zeltplatz bis zum 5-Sterne-Hotel.

Dank

Dank an alle, die uns bei der Erstellung dieses Buches tatkräftig unterstützt haben. Besonderen Dank an die zahlreichen Leser, die uns mit Korrekturen und aktuellen Informationen versorgt haben:

H. Meiering, Steinmauern; L. Christ, Weil/Rhein; E. Zimmermann, Philippsburg; A. Heymann; U. Clemens, Stromberg; K. G. Korf, Kehl-Sundheim; F. Baumann, Munchhausen; S. Lang, Hannover; F. Seipel, Bad Soden-Salmünster; J. Kanter, Braunschweig; W. Hoffmann; I. u. F. Rohmeder, Mindelheim; J. Huwiler, Birsfelden; B. Verweyen, Essen; A. Gaugg, Kissing; G. Hüttmann; U. Kaufmann, Kehrsatz/Schweiz; B. Schimanski, Spaichingen; Fam. Heinemann; Dr. G. Riemer, Wien; M. Käppeli, Chur/Schweiz; J. Steiner, Oberweningen/Schweiz; A. Hafenmayer, Aschheim; K. Fischer, Kehl; W. Lumpp, Reutlingen; W. Benden, Ötigheim, R. König; Ch. Grieshaber, Kehl; M. Seward, Mainz; E. u. G. Hagemann, Münster; M. Seifert; Ch. Fleith, Strasbourg; M. Hölscher, Münster; J. Heinrich, Speyer; T. u. J. Hollinger, Neuburg; H. J. Albrecht, Ottobeuren; M. Anschütz; R. Aubry, Basel (CH); H. Baur-Weber, Rafz (CH); G. u. R. Berens, Ronnenberg; G. Binder, Edingen-Neckarhausen; G. Brühl, Pirna; M. Bock; J. Burg, Landau; Renée Ceglarek; D. Cross, Ettlingen; K.-J. Ebschner, Eberbach; K. Eisele, Filderstadt; P. Feeg, Schriesheim; E.-L. Frei, Freiburg; M. Freking, Wertheim; B. Frischmuth, Effretikon; G. Fülbier & S. Reiß; P. Gerling; M. Ginzler, Schopfheim; Martin Glugla; J. Golz, Paderborn; H. Grundnig, Absam (A); L. Haldemann, Basel; Th. Hartmann; U. Hemmer, Gönnheim; M. Hoffmann, Düsseldorf; Cl. Hofstetter u. R. Schwegler, Geuensee; H. Huber, Köln; H. Hübinger, Wiesbaden; G. Hüttmann, ADFC-Mannheim; Jürgen Jung; Herbert Kahnert; H. Kauber, Freiburg; U. Kaufmann, Kehrsatz (CH); N. Kleiner, Wiesbaden; I. Knauer, Stuhr; M. Köchle, Völs (A); Albrecht Kohler; W. Kolvenbach, Bad Münstereifel; Hartmut Komorek; Th. u. S. Körber, Berlin; M. Krähenbühl, Jona; B. Küpper, Mühlhausen; B. Kuhn, Untersiggenthal (CH); H. Lampert-Kreuzer, Landquart; Jakob Lattmann; H. Lenz, Friedrichsdorf; F. Liebminger, Jenbach (A); Ton van Lierop, Helmond (NL); Christiane Lohmüller; M. Lohner, Freiburg i. Br.; Jürgen Loose; K. Luig; Gerrit Mensing; B. Metzler, Frankfurt/M.; Ch. Möglich; E. u. H. Möller, Bausendorf; Fam. Mowitz, Lindenberg/Pfalz; Dr. U. Nägely, Bilten (CH); I. Nelhübel; Cl. Neubauer, Ludwigshafen; W. Nowak, Troisdorf; W. Nußbaum, Emmendingen; Ch. Pfeiffer, Bremen; E. Philipp, Lörrach; Gerben Poorter; R. Prange, Mülheim/Ruhr; M. Rothe, Erlangen; H. Rücker, Menden; W. Ruscheweyh, Frankfurt/M.; R. Schädler, Freiburg; H. Scheer; H. u. E. Schmider, Schwanau; Manfred Schmidt; U. Schmidt-Neubauer; I. & D. Schroeder-Wildberg, Ketsch; Marco Schulte; D. Schulz, Berlin; Eberhard Schulze; H. Schwarz, Grenchen (CH); Toni Seib; R. Seyler, Rottweil; E. Singer u. M. v. Kunowski, München; T. u. B. Sistig, Heuzert; A. Steuler, Mannheim; A. u. H. Stolz, Dischingen/Eglingen; W. Tattermusch; R. Ukelo, Fribourg (CH); A. Vollert, Schramberg; E. Vortanz, Zeiskam; Ch. Voss, Schwalmtal; N. Walk, Schwäbisch Hall; P. Weis, Nierstein-Schwabsburg; Barbara Westphal; J. Widera, Rheinfelden; M. Wiggenhauser, Kronbühl (CH); J. Ziegenbalg, Reutlingen; W. Zimmer, Muckenschopf; St. Zink, Mainz; Pircher; A. u. A. Posthumus, Steinebrunn; Huber-Rehmann, Altdorf (CH); Zbären, Koppingen; Radke, Offenburg; A. Henke, Bad Krozingen; E. Vogel, Willisau; F. u. M. Rauch; M. u. R. Hagen; H. Gilcher; A. Berentsen; R. Rengier, Konstanz; W. Bayer, Ilshofen;

Entschuldigung an jene, die zu erwähnen wir vergessen haben!

Von Basel nach Neuf-Brisach am linken Ufer 69 km

Auf französischer Seite angekommen, durchquert der Rhein-Radweg zunächst den Festungsort Huningue, folgt dem Rhein-Rhône-Kanal, streift das Naturschutzgebiet der elsässischen „Petite Camargue", hinein in den riesigen Hardt-Wald. Am Weg liegt Ottmarsheim, mit seiner berühmten romanischen Kirche und Fessenheim, Heimatort von Victor Schoelcher, der sich im 19. Jahrhundert gegen politische Unterdrückung und für die Menschrechte einsetzte. In ebenem Gelände gelangt man in die ehemalige Festungsstadt Neuf-Brisach, wo zum Beispiel das Vauban-Museum zum kulturellen Abstecher einlädt. Auch einen Ausflug nach Colmar sollte man nicht vergessen, da die unter Denkmalschutz stehende Altstadt eine einzigartige Atmosphäre ausstrahlt.

Die linksrheinische, französische Route führt meist etwas abseits des Rheins auf hauptsächlich asphaltierten Radwegen und Landstraßen.

Tipp: In der Schweiz gibt es leider keine offizielle Beschilderung für die internationale Veloroute Rhein, so weit Sie sich aber auf den beschilderten Radstrecken des Velolandes bewegen, wird dies erwähnt.

Hier zu Beginn der linksufrigen Strecke startet die Routenbeschreibung vom links des Rheins gelegenen **Baseler Hauptbahnhof (SBB)**.

Die Anfahrt vom von Deutschland aus besser erreichbaren **Badischen Bahnhof (DB)**, im rechtsrheinischen Stadtteil **Kleinbasel** gelegen, finden Sie zu Beginn des rechtsrheinischen Abschnittes Basel–Breisach ab S. 33.

Basel ~km 167

PLZ: CH-4000; Vorwahl: 0041(0)61

- 🛈 **Basel Tourismus**, Tourist-& Hotelinformation, Im Bahnhof SBB, ✆ 061/2686868, www.basel.com
- 🛈 **Basel Tourismus**, 4002, Tourist-& Hotelinformation, Im Stadtcasino am Barfüsserplatz, Steinenberg 14 ✆ 061/2686868, www.basel.com
- ⛴ **Basler Personenschifffahrt**, Schifflände, ✆ 061/6399500
- 🏛 **Antikenmuseum und Sammlung Ludwig**, St. Alban-Gra-

ben 5, ✆ 061/2011212, ÖZ: Di-So 10-17 Uhr. Griechische, ägyptische und römische Kunstwerke, hauptsächlich aus der Epoche 4.000 v. Chr. bis ins 7. Jh. n. Chr.

- 🏛 **Skulpturhalle Basel**, Mittlere Str. 17, ✆ 061/2615245, ÖZ: Di-Fr 10-17 Uhr und Sa/So 11-17 Uhr. Sammlung von Abgüssen antiker Plastiken, vollständige Zusammenführung der gesamten Bauplastik des Athener Parthenons.
- 🏛 **Architekturmuseum**, Steinenberg 7, ✆ 061/2611413. ÖZ: Di, Mi, Fr 11-18 Uhr, Do 11-20.30 Uhr, Sa, So 11-17 Uhr. Wechselnde Ausstellungen zu aktuellen architektonischen Themen.
- 🏛 **Fondation Beyeler**, Baselstr. 101, 4125 Riehen, ✆ 061/6459700, ÖZ: tägl. 10-18 Uhr, Mi -20 Uhr. Rund 200 Werke der klassischen Moderne, Kunstwerke von Künstlern wie Monet, Cézanne, van Gogh, Picasso, Warhol u.a.
- 🏛 **Historisches Museum Barfüßerkirche**, Barfüßerplatz, ✆ 061/2058600, ÖZ: Mo, Di-So 10-17 Uhr, während Sonderausstellungen Do 10-20 Uhr. Objekte der kirchl. und weltl. Kunst des Mittelalters und der Renaissance, Münsterschatz und Münzkabinett, Stadtgeschichte.
- 🏛 **Haus zum Kirschgarten**, Elisabethenstr. 27-29, ✆ 061/2058678, ÖZ: Di-Fr, So 10-17 Uhr, Sa 13-17 Uhr. Basler Wohnkultur und angewandte Kunst.
- 🏛 **Kunstmuseum**, St.-Alban-Graben 16, ✆ 061/2066262, ÖZ: Di-So 10-17 Uhr, während Sonderausstellungen Mi 10-20 Uhr. Die größte

Kunstsammlung der Schweiz zeigt Alte Meister wie Witz oder Holbein; aber auch Malerei des 19. Jhs. oder moderne Kunst von Cézanne über Picasso bis heute. Im Kupferstichkabinett sind Zeichnungen und Grafiken vom 15.-20. Jh. ausgestellt. Weltweit größte Sammlung von Arbeiten der Holbein-Familie.

- 🏛 **Kunsthalle Basel**, Steinenberg 7, ✆ 061/2069900, ÖZ: Di-Mi, Fr 11-18 Uhr, Do 11-20.30 Uhr, Sa/So 11-17 Uhr. Renommierter Veranstaltungsort für Wechselausstellungen zeitgenössischer Kunst.
- 🏛 **Museum für Gegenwartskunst**, St.-Alban-Rheinweg 60, ✆ 061/2728183, ÖZ: Di-So 11-17 Uhr. Teil der Emanuel-Hoffmann-Stiftung und der Öffentlichen Kunstsammlung Basel.
- 🏛 **Museum Tinguely**, Paul-Sacher-Anlage 1, ✆ 061/6819320, ÖZ: Di-So 11-19 Uhr. Thema: Leben und Werk des bedeutenden Eisenplastikers
- 🏛 **Museum der Kulturen**, Münsterpl. 20, ✆ 061/2665600, ÖZ: Di, Do-So 10-17 Uhr, Mi 10-20 Uhr. Volks- und Völkerkundliche Sammlung, Schwerpunkt Südsee und Indonesien. Thema Naturhistorisches Museum: Fast alle Bereiche der Naturwissenschaften: Erdgeschichte, Fossilien- und Mineralienausstellung, ausgestorbene und lebende Säugetiere, Dinosauriersaal.
- 🏛 **Naturhistorisches Museum**, Augustinerg. 2, ✆ 061/2665500, ÖZ: Di-So 10-17 Uhr. Erdgeschichte, Fossilien- und Mineralienausstellung, ausgestorbene und lebende Säugetiere, Dinosauriersaal.

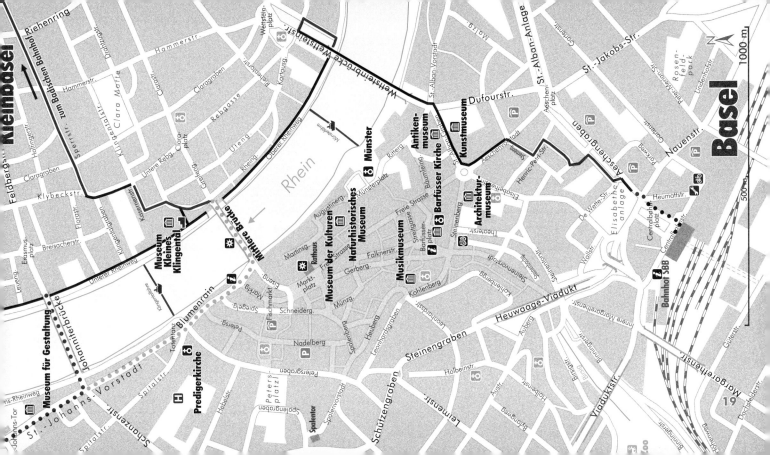

🏛 **Puppenhausmuseum**, Steinenvorstadt 1, ☎ 061/2259595, ÖZ: Mo-So 11-18 Uhr. Thema: In einem historischen Gebäude aus dem Jahr 1867 finden Sie Puppenhäuser, Kaufmannsläden, Teddybären und Spielzeug vom frühen 19. Jh. bis heute.

🏛 **Vitra Design Museum**, D-79576 Weil am Rhein, Charles-Eames-Str. 1, ☎ 061/7621/7023200, ÖZ: Mo, Di, Do-So 10-18 Uhr, Mi 10-20 Uhr. Die international beachtete Sammlung verfügt über etwa 1.200 Möbelobjekte, die meistens Schlüsselpositionen in der Entwicklung des industriellen Möbeldesigns von 1850 bis heute einnehmen. Auch der architektonisch anspruchsvolle, moderne Bau des Museums an sich ist sehenswert.

🏛 **Basler Papiermühle**, St. Alban-Tal 37, ☎ 061/2259090, ÖZ: Di-So 14-17 Uhr. In der ehemaligen Basler Papiermühle untergebracht, schildert die papierhistorische Sammlung die Arbeitsweise von Buchdruck und Buchbinderei und wird von Demonstrationen ergänzt. Hier kann auch selber geschöpft und gedruckt werden.

🏛 **Jüdisches Museum der Schweiz**, Kornhausg. 8, ☎ 061/2619514, ÖZ: Mo, Mi 14-17 Uhr, So 11-17 Uhr. Rituelle Gegenstände, hebräische Drucke und Objekte des 1. Zionistenkongresses.

🏛 **Karikatur & Cartoon Museum**, St. Alban-Vorstadt 28, ☎ 061/2263360, ÖZ: Mi-Sa 14-17 Uhr, So 10-17 Uhr. Karikaturen, Cartoons und Comics in Wechselausstellungen.

🏛 **Museum Kleines Klingental**, Unterer Rheinweg 26, ☎ 061/

Das Münster bei Nacht

2676642, ÖZ: Mi, Sa 14-17 Uhr, So 10-17 Uhr. Zu sehen sind u. a. Originalskulpturen des Basler Münsters, Stadtmodelle sowie periodische Ausstellungen zur Stadt- und Baugeschichte.

🏛 **Pharmazie-Historisches Museum Basel**, Totengässlein 3, ☎ 061/2649111, ÖZ: Di-Fr 10-18 Uhr, Sa 10-17 Uhr. Sammlungen von alten Medikamenten und Apotheken, Laborutensilien und Bilddokumentationen.

🏛 **Schweizer Sportmuseum**, Missionsstr. 28, ☎ 061/2611221, ÖZ: Di, Mi, Do 10-12 Uhr und 14-17 Uhr, Sa 14-17 Uhr und So 11-17 Uhr. Anhand von Geräten und Dokumenten bietet das Museum einen Querschnitt durch Sport u. Spiel aus drei Jahrtausenden.

🏛 **„Verkehrsdrehscheibe Schweiz und unser Weg zum Meer"**,

Westquaistr. 2, ☎ 061/6314261, ÖZ: März-Nov., Di-So 10-17 Uhr, Dez.-Feb., Di, Sa, So 10-17 Uhr.

⛪ **Münster**, Münsterplatz. Von der einstigen karolingischen Kirche blieben nach dem Ungarnsturm 917 nur Teile der Krypta erhalten. Der heutige Bau ist im Wesentlichen ein spätromanischer Neubau aus dem 12. Jh. Drei Jahrhunderte später entstanden auf romanischer Grundlage die beiden südlich angefügten Kreuzgänge. Der Bildersturm von 1529 vernichtete den Hochaltar, große Teile der Ausstattung und der Bauplastik.

⛪ **Barfüßerkirche**, Barfüßerplatz. Die Kirche der Franziskaner gilt als das bedeutendste architektonische Werk des Ordens nördlich der Alpen. Die heutige dreischiffige Pfeilerbasilika entstand Anfang des 14. Jhs.

⛪ **Predigerkirche**, Petersgraben. Die ehemals für die Dominikaner errichtete Kirche entstand im 13. Jh. und wurde nach dem Erdbeben von 1356 erneuert. Geldmittel für den Bau soll der Handel mit dem Ablass von Sünden geliefert haben. Sehenswert sind die schmalen Maßwerkfenster im Chor. Die Mauern des Friedhofes auf der Nordseite der Kirche trugen bis 1805 die berühmten Totentanzfresken, deren noch erhaltene Teile im Historischen Museum verwahrt sind. Sie zeugen von den Ängsten der Pestzeit aus dem Jahr 1439.

✳ **Mittlere Brücke**. Über Jahrhunderte war sie die einzige Rheinbrücke bis weit stromabwärts, denn der Oberrhein hatte bis zur Regulierung im 19. Jh. kein festes Flussbett und wechselte häufig seinen Lauf. Der

Vorläufer der heutigen Brücke wurde 1225 aus Holz gezimmert und ließ Basel schon früh zu einem wichtigen Handelsplatz werden.

✖ **Spalentor.** Spalenvorstadt. Das seit dem Abbruch der Befestigungsanlage freistehende Stadttor datiert aus dem späten 14. Jh. Das niedere Vorwerk ist mit einer Vielzahl teilweise lustiger Figuren versehen, die Originale sind im Historischen Museum.

✖ **Rathaus.** Marktplatz. Nach ihrem Eintritt in die Eidgenossenschaft wollte die Bürgerschaft mit einem würdigen Bau aufwarten und ließ 1507-13 das Rathaus im spätgotischen Stil errichten.

▣ **Zoo.** Binningerstr. 40, ✆ 2953535, ÖZ: März-April, Sept.-Okt., Mo-So 8-18 Uhr, Mai-Aug., Mo-So 8-18.30 Uhr, Nov.-Feb., Mo-So 8-17.30 Uhr. Der in Basel liebevoll „Zolli" genannte Landschaftsgarten bildet eine grüne Insel für 4.000 Tiere von 600 Arten mitten in der Stadt. Für Kinder ein doppelter Spaß, da sie im Kinderzolli den Wärtern bei der Tierpflege helfen dürfen. Berühmt wurde der Zoo durch Zuchterfolge bei Gorillas und Nashörnern.

🅰 **Botanischer Garten der Universität Basel,** Schönbeinstr. 6, ✆ 2673519, ÖZ: April-Okt., Mo-So 8-18 Uhr, Nov.-März 8-17 Uhr, ÖZ Gewächshäuser: ganzjährig 9-17 Uhr.

✐ 🅭 **Wenger,** Gartenstrasse 143, Am Bahnhof SBB, ✆ 2838080

Wohl kaum eine andere Stadt dieser Größe kann so viele ausgeprägte Profile für sich beanspruchen. Basel genießt den Ruf, eine Messe- und Kongressstadt, eine Stadt der

Münster und Rheinfähre in Basel

Musik, der Museen und der Gelehrten, aber auch eine Stadt der Banken zu sein. Durch die prädestinierte Lage im Dreiländereck ist die Stadt am Rheinknie von jeher auch eine wichtige Verkehrsdrehscheibe.

Geographisch liegt Basel im Rheinknie, wo sich der Fluss in scharfer Biegung nach Norden in die Oberrheinische Tiefebene wendet. Gleichzeitig handelt es sich um ein Dreiländereck zwischen Deutschland, Frankreich und der Schweiz. Die Lage im Zentrum der Achsen vom Schweizer Jura zu den Schwarzwaldtälern und vom industrialisierten Hochrhein zum Elsass brachte der Stadt vielfältige Impulse.

Seit dem 7. Jahrhundert Bischofssitz, wurde Basel nach der Zerstörung durch die Ungarn 917 befestigt. Im Kampf zwischen Bischof und Bürgerschaft siegten um 1450 die Zünfte, die fortan die Stadt regierten. Ihr geschichtlicher Werdegang führte die Stadt 1501 in die Eidgenossenschaft und Jahrzehnte später in die Reformation. Basel-Stadt ist gleichzeitig der kleinste Kanton der Schweiz; ein Halbkanton, der im 19. Jahrhundert durch die Trennung von Basel-Land entstand.

Im alten Stadtkern von Basel ist der mittelalterliche und frühneuzeitliche Baucharakter mit den gotischen Häusern und prächtigen Palästen noch weitgehend erhalten.

Berühmt ist die 1460 gegründete Basler Universität, die viele namhafte Persönlichkeiten wie Paracelsus, Bernoulli, Jakob Burckhardt, Friedrich Nietzsche oder Carl Gustav Jung hervorbrachte und eine humanistische Tradition begründete. Die Stadt ist heute am Endpunkt der größten europäischen Wasserstraße eine überregionale Drehscheibe im Handel. Es begann mit dem ersten Dampfer, der 1832 aus den Niederlanden kommend, in der Stadt anlegte und damit die Entwicklung zur Moderne einleitete. Heute verfügt die Stadt in mehreren Häfen über 5 Kilometer Kailänge und ist für rund 500 Rheinschiffe Heimathafen.

Von Basel nach Kembs   19 km

Tipp: Anschluss vom **Badischen Bahnhof (DB)** s. S. 35.

Am schweizerischen Hauptbahnhof, dem **Bahnhof Basel SBB** startend, rechts halten ~ die Straßenbahngleise queren ~ weiter zur **Heumattstraße** ~ an der großen Kreuzung, beim Hotel Hilton, mittels Ampeln die Kreuzung Richtung Park queren ~ auf der Nebenfahrbahn vom **Aeschengraben** weiter ~ nach etwa 150 Metern rechts in die **H.-Kinkelin-Straße** ~ mit einem Knick rechts im **Hirschgässlein** weiter ~ an der T-Kreuzung links und gleich wieder rechts ~ erlaubterweise geht es nun in der **Sternengasse** gegen die Einbahn ~ bei der nächsten größeren Querstraße links halten ~ vor zur Kreuzung mit fünf Straßen.

Tipp: Geradeaus führt die Fußgängerzone Freie Strasse in die City. Hier dürfen Velos (Schweizer Bezeichnung für Fahrräder) nur zu den Verladezeiten bis 13 Uhr fahren.

Die Route verlässt die Basler Innenstadt im **St. Alban-Graben** von der Kreuzung mit 5 Straßen aus Richtung Fluss ∿ vorüber am Kunstmuseum ∿ gleich nach Passieren der **Wettsteinbrücke** über den Rhein rechts ∿ erneut rechts zum Fluss hin ∿ am **Oberen** und später am **Unteren Rheinweg** flussabwärts ∿ den Brückenkopf der Mittleren Brücke ziert eine Kapelle ∿ entlang von schmucken Bürgerhäusern abwechselnd auf Radwegen und wenig befahrenen Straßen.

Auf der **Mittleren Brücke** (weiter rechts **Blumenrain**), mittels **Klingentalfähre** oder über die

große **Johanniterbrücke** wieder aufs links Ufer wechseln ∿ auf der **St. Johanns-Vorstadt** (⚠ Vorsicht an den Tramgleisen!) stadtauswärts ∿ am **St. Johanns-Tor** geradeaus in die **Elsässerstraße** ∿ vorsichtig die **Voltastraße** überqueren ∿ bei der zweiten Abzweigung rechts in die **Hüninger Straße**, wo auch ein Radstreifen verläuft.

Huningue   **~km 170**
PLZ: F-68332; Vorwahl: 0033(0)389
🛈 Touristinformation, 6 rue des Boulangers, ☎ 673674

Hinter der französischen Grenze entlang der **Avenue du Bâle** bis zur ersten Kreuzung ∿ dem Schild der Veloroute Rhin folgend rechts in die **Rue des Trois Frontières** ∿ am Rhein links auf dem **Quai du Rhin** ∿ am Spiel- und Rastplatz beginnt ein nahezu perfekt ausgebauter Radweg am **Canal de Huningue** entlang ∿ dieser führt – meist am

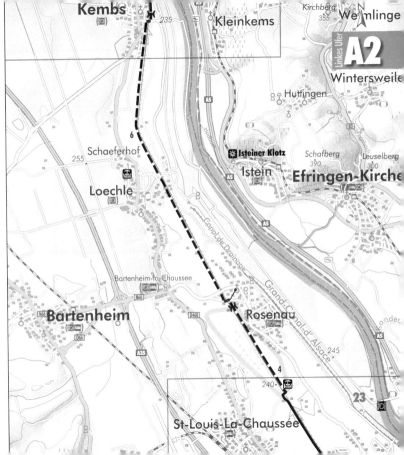

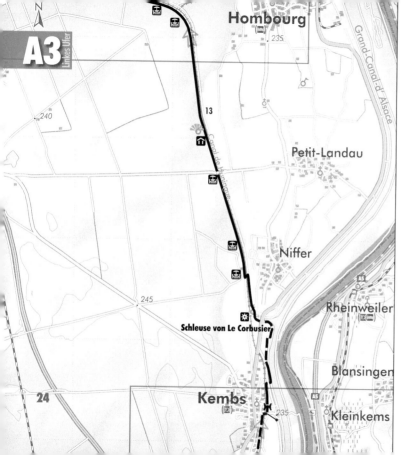

Hombourg

13

Petit-Landau

Niffer

Rheinweiler

Schleuse von Le Corbusier

Blansingen

Kembs

Kleinkems

24

Kembs

linken, nur vor **Rosenau** kurz am rechten Ufer des kleinen Kanals – insgesamt rund 14 Kilometer bis nach Kembs.

Kembs

Der gebändigte Strom

Die Regulierung des Rheins ist ein Werk der letzten zwei Jahrhunderte und symbolisch für den technisch-mechanischen Willen, den Einfluss der Naturkräfte so weit wie möglich zurückzu-

drängen, aber auch für die neuen Probleme, die durch solche Eingriffe in das natürliche Wirkungsgefüge verursacht werden. Der Oberrhein war früher ein Wildstrom und beanspruchte die Aue in ihrer ganzen Breite von 3-4 Kilometern. Das lag an der – auch heute noch – zwischen den Jahreszeiten stark schwankenden Wasserführung. So war zur üblichen frühsommerlichen Hochwasserperiode die gesamte Talaue überflutet. In der übrigen Zeit floss das Rheinwasser in zahlreichen Armen ab, zwischen denen Kies- und Sandinseln wechselnder Form und Größe schnell aufgeschüttet und wieder fortgeschwemmt wurden. Oft verlegte der Hauptstrom sein Bett, und ganze Ortschaften verschwanden. Die Aue war großflächig versumpft, und die Anwohner litten bis ins 19. Jahrhundert unter dem Wechselfieber.

Ab 1813 wurde der Rhein zwischen Basel und Karlsruhe in ein kanalartiges Bett gezwängt und die Schlingen nördlich begradigt. Zwischen Basel und Mannheim wurde der Fluss damit um 82 Kilometer kürzer, was eine 30-prozentige Steigerung der Stromgeschwindigkeit bedeutete. Nach rund 60 J a h r e n wurde das Werk vollendet. Der Erfolg war groß: Es gab weniger Überschwemmungen, tausende Hektar neues Ackerland und edlere Laubhölzer in den Auwäldern. So erfolgten um 1890 weitere Maßnahmen. So sollte ein zusätzlicher Damm die inzwischen bestellten Felder vollends vor Überschwemmungen schützen. Dafür grub sich der Rhein durch die Einengung an

den Seiten tiefer in sein Bett ein. Die Tiefenabtragung war unerwartet stark, und das Grundwasser sank dementsprechend in den Kiesen südlich von Breisach ab. Aus dem Feuchtwaldgebiet mit wuchskräftigen Silberweiden, Eschen und Ulmen wurde eine Dürrezone, wo die Bauern ihre Brunnen immer tiefer bohren müssen.

Um die Großschifffahrt zu ermöglichen, gab es zu Beginn des 20. Jahrhunderts weitere Maßnahmen. Das Rheinbett wurde mittels Buhnen, darunter versteht man Aufschüttungen, die die Fließgeschwindigkeit verringern, deutlich eingeengt. 1928 begann Frankreich den Grand Canal d'Alsace, breiter als der Suezkanal, südlich des Kaiserstuhls auszubauen. Im Versailler Vertrag wurde Frankreich die alleinige Wasserkraftnutzung durch den betonierten, von Basel/Hüningen

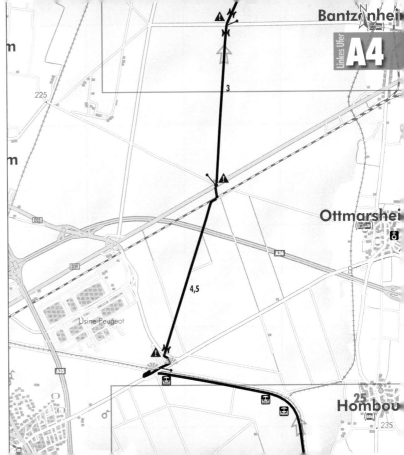

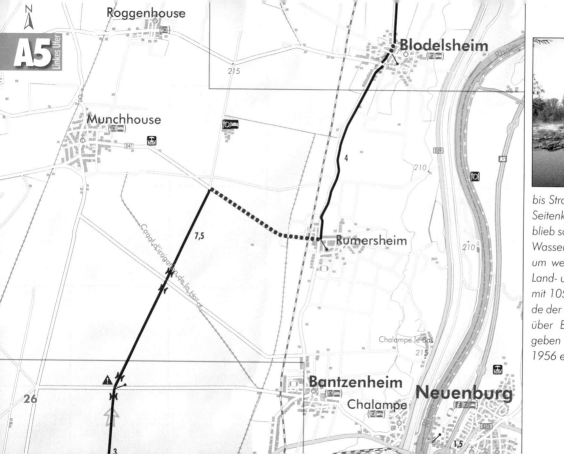

Roggenhouse

Blodelsheim

Munchhouse

215

Canal d'irrigation de la Hardt

7,5

4

Rumersheim

210

210

Chalampe le Bas

215

26

Bantzenheim

Chalampe

Neuenburg

3

1,5

bis Strasbourg 118 Kilometer lang geplanten Seitenkanal zugesprochen. Dem Tulla-Rhein blieb so nur noch ein Bruchteil seiner früheren Wassermenge, der Grundwasserspiegel sank um weitere 2-3 Meter. Die Schäden für die Land- und Forstwirtschaft bezifferte man 1952 mit 105 Millionen Mark. Nach Protesten wurde der französische Plan, den Seitenkanalbau über Breisach hinaus fortzusetzen, aufgegeben und im Luxemburger Abkommen von 1956 eine Schlingenlösung vereinbart.

Von Kembs
nach Rumersheim-le-Haut   28 km

In Kembs noch einmal den **Hüninger Kanal** überqueren ⁓ hinter dem kleinen Hafen links auf den Radweg abzweigen ⁓ nach Unterquerung der **D 468** schräg rechts über eine Brücke zur **Schleuse**, die vom berühmten Dekonstruktivisten Le Corbusier erbaut wurde ⁓ vor dem Abzweig, der rechts nach **Niffer** hinunterführt, links über die **Radler- und Fußgängerbrücke** ⁓ weiter nach rechts auf den Radweg, der nun entlang des **Canal du Rhône au Rhin (Rhein-Rhône-Kanal)** verläuft ⁓ nach gut 13 Kilometern die Brücke der **D 108** unterqueren ⁓ gleich links hinauf zur Straße ⁓ links auf den Radweg und den Kanal auf der linken Straßenseite überqueren ⁓ weiter links entlang der **D 55**

⁓ diese wenig später ⚠ vorsichtig nach rechts überqueren und auf den schnurgeraden Forstweg.

Hinter der A 36 an der **Grunhutte** links die Bahn überqueren ⁓ am Forsthaus (**Salzlecke**) die **D 39** vorsichtig überqueren ⁓ gleich darauf schräg rechts auf den Forstweg in Richtung Munchhouse bzw. Rumersheim ⁓ auf dem Radweg bis zur Kreuzung mit der **D 47**, wo es geradeaus zum Poney Parc geht, ⁓ hier rechts und auf der Straße weiterradeln.

Rumersheim-le-Haut

Von Rumersheim-le-Haut
nach Neuf-Brisach   22,5 km

Am Stoppschild in Rumersheim links ⁓ entlang der **D 468** nach Blodelsheim.

Blodelsheim

Im Ort wieder auf der Straße weiter bis zum Dorfende ⁓ hier

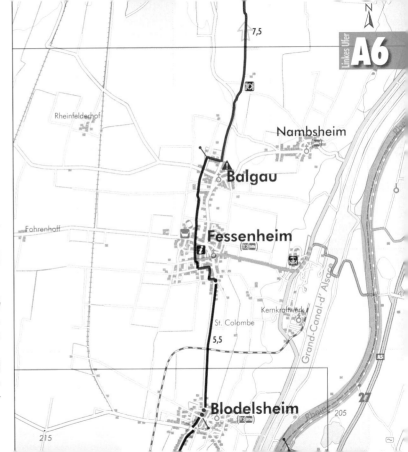

auf den Radweg nach Fessenheim weiter.

Fessenheim

Der Radweg endet am Dorfanfang ⌇ an der ersten Möglichkeit links ⌇ der Rechts-links-rechts-Kombination folgen ⌇ auf dem Radweg weiter nach Balgau.

Balgau

In Balgau am Ortsende rechts ⌇ an der Vorfahrtsstraße links ⌇ in mäßigem Verkehr nun auf dieser Straße weiter nach Heiteren.

Heiteren

Auf der **D 468** nach **Obersaasheim** ⌇ am Ortsbeginn rechts ⌇ hinter der Kirche linksherum auf der Straße nach **Algolsheim**, wo die Route nach Deutschland hinüber abzweigt.

Tipp: Nach Deutschland hinüber ist es ab **Algolsheim** schon rechtsherum beschildert (**Grand Rue**). Dabei verpassen Sie aber einen Besuch in der Festungsstadt Neuf-Brisach. Die Route ist in orange in der Karte dargestellt.

Neuf-Brisach

In **Algolsheim** rechts in die Grand Rue ⌇ in einem großen Linksbogen aus dem Ort hinaus bis Vogelgrun ⌇ geradeaus durch den Ort ⌇ nach Querung der **N 415** (⚠) geradewegs links halten Richtung Volgelsheim.

Tipp: Sie können sich hier auch rechts halten und nach Breisach ans deutsche Ufer hinüberfahren.

Volgelsheim

🛈 Office de Tourisme Intercommunal des Bords du Rhin; 16, rue de Neuf-Brisach, ✆ 0033/(0)389/725666,

www.tourisme-rhin.com

✳ Kombination Zug und Schiff, ✆ 0033/ 389715142, ÖZ: Mai-Sept., Sa-So 15 Uhr, Abfahrt am Bahnhof Volgelsheim. Nostalgiefahrt mit Dampfzug und Schiff.

In Volgeslheim links und kurz danach rechts auf den Radweg ⌇ über eine Brücke geht es nach Neuf-Brisach zur **Rue de Strasbourg** ins Zentrum der historischen Festungsstadt.

Tipp: Die Hauptroute führt vor dem **Canal du Rhône au Rhin (Rhein-Rhône-Kanal)** rechts und kurz am Kanal entlang.

Neuf-Brisach

PLZ: F-68600; Vorwahl: 0033(0)389

🛈 Office de Tourisme Intercommunal des Bords du Rhin; 6, Place d'Armes, ✆ 725666, www.neuf-brisach.com

🏛 Musée Vauban; 7, Porte de Belfort, ÖZ: Mai-Okt. Mi-Mo 10-12 Uhr u. 14-17 Uhr. Die Sammlung enthält Pläne, Manuskripte, Stiche und Photos, welche die Geschichte des Ortes seit seiner Gründung im Jahre 1698 behandeln. Besondere Aufmerksamkeit verdienen dabei die Zeichnungen, welche die Technik des Befestigungsbaues nach den drei Vaubanischen Prinzipien erläutern.

❂ **Festung**. Erbaut 1699-1702 im Auftrag von Ludwig XIV. und nach den Plänen von Sébastien le Prestre de Vauban, bekannt unter dem Namen Vauban. Die Stadt wurde um den zentralen Paradeplatz (Place d'Armes) im Schachbrettmuster angelegt. Die Anlage, damals die größte in Frankreich, ist im Großen und Ganzen bis heute erhalten geblieben. Von den ursprünglich vier Toren sind heute noch das Colmarer und das Belforter Tor zu sehen.

❂ **Radbühne**, Place de la Porte de Colmar, Reservierung ✆ 726423, ÖZ: n. V. und während der Stadtführungen. Die Radbühne ist ein 8 m hohes Gebilde, ein mechanisches Klangspiel mit Texten und theatralen Bewegungen, welche — untergebracht in einer Kasematte der Befestigungsanlage — „die Atmosphäre einer Raumsymphonie" schaffen.

🚲 **Fahrradvermietung Maison de la Presse**; 9, rue de Bâle, ✆ 725672

Erst ein Luftbild oder der Blick auf die Karte lässt den achteckigen Festungsstern von Neuf-Brisach, zu deutsch Neu-Breisach, mit seinen gut erhaltenen Wällen, Gräben und Kasematten richtig erkennen. Um ein Quadrat sind die Straßen der alten Garnisonsstadt rechtwinklig angeordnet und die Häuserblöcke gleich groß. Alles in dieser Kleinstadt, selbst die Kirche, ist

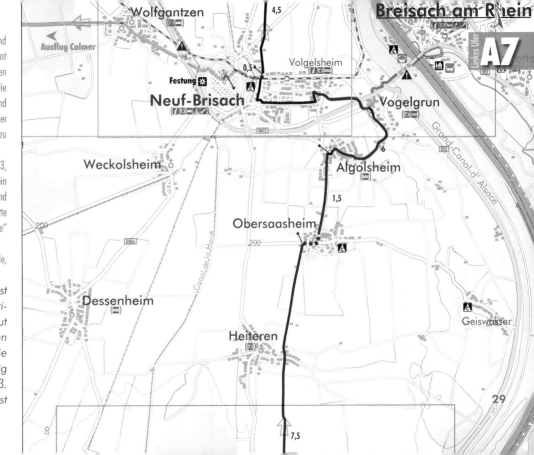

29

der militärischen Absicht untergeordnet. Die Bäume auf dem Exerzierplatz in der Festungsmitte stehen aufgereiht wie ein zum Appell angetretenes Regiment.

Als Gegengewicht zur österreichischen Stadt und Festung Breisach auf dem anderen Rheinufer, ließ Ludwig XIV., der „Sonnenkönig", nach der Eroberung des Elsass´ 1688 Neuf-Brisach erbauen. Marschall und Festungsbaumeister Vauban führte den Auftrag zur damals größten Befestigungsanlage nach dem Muster einer barocken Reißbrettsiedlung aus. Ein eigener Kanal leitete das Wasser eines Baches durch die Wassergräben. Mit Vauban, der u. a. auch in Metz und Strasbourg Sperrfestungen anlegte, erreichte die Festungsbaukunst in Europa ihren Höhepunkt. All das nützte allerdings zwei Jahrhunderte später Neuf-Brisach nicht viel, als sich die Stadt im deutsch-französischen Krieg 1871 nach achttägigem Bombardement schließlich doch ergeben musste. Während des letzten Weltkrieges suchte die Bevölkerung von Neuf-Brisach Unterschlupf in den Kasematten, sodass nur wenige zivile Opfer zu beklagen waren.

Tipp: Von Neuf-Brisach aus können Sie einen Ausflug ins sehenswerte Colmar unternehmen. Von dort kehren Sie nach Neuf-Brisach auf demselben Weg zurück.

Ausflug nach Colmar   18 km

Den Hauptplatz von Neuf-Brisach in einem Bogen umfahren ∾ auf der **Rue de Colmar** durch das Colmarer Tor das Städtchen verlassen ∾ an der Hauptstraße kurz links zum Kreisverkehr, dann rechts weg.

Wolfgantzen

Am Ortsende links Richtung Appenwihr ∾ auf ruhiger Landstraße durch einen schütteren Mischwald.

Appenwihr

Hier bei der zweiten Möglichkeit rechts Richtung Sundhoffen ∾ durch ausgedehnte Felder auf der breiten Rheinebene, schmale

Colmar – Rue de marchands

Weingärten säumen den Weg ∾ vor Sundhoffen ist noch ein Kreisverkehr zu befahren ∾ Sundhoffen erreichen Sie nach einer Platanenallee und queren die Ill.

Sundhoffen

Im Ort kündigt sich Fachwerk als die charakteristische Bauart an ∾ dem Straßenverlauf Richtung Colmar auf der **Grand Rue** durch den Ort folgen ∾ am Ortsende kurz scharf links auf die Hauptstraße, dann rechts ab in den **Forêt de Colmar** ∾ im Wald führt die beschriebene Route rechts ab zum Ausflugsrestaurant.

⚠ **Tipp:** Sie können aber auch geradeaus weiter, mit einem Rechtsschwenk die Autobahn unterqueren und dann geradewegs entlang der **N 422** und auf der **Rue de Bâle** nach Colmar hineinfahren – oder Sie nutzen diese Variante für die Rückfahrt.

Europe

Colmar

❀ **Altstadt**

Gutleuten

Niederau

Voges

Semm

Wihr-en-Plaine

Horbourg-Wihr

Fortschwihr

Urschenheim

Andolsheim

Windensolen

Kunheim

4,5

Biesheim

8

7,5

Sundhoffen

10,5

Appenwihr

Logelheim

Wolfgantzen

4,5

Volgelsheim

0,5

Ste-Croix-én-Plaine

Festung ❀

Neuf-Brisach

3¹

Die Route führt vor dem **Waldrestaurant** links 〜 über den kleinen Canal des Douze Moulins und die Autobahn 〜 auf der **Rue Silberrunz** geradeaus, solange es geht 〜 dann rechts 〜 bei der **Rue de la Semm** auf den Radstreifen nach links 〜 geradeaus über die Kreuzung 〜 die Straße beschreibt einen Bogen nach rechts 〜 danach folgt die breite, platzartige **Rue Turenne** 〜 bei der nächsten größeren Kreuzung rechts in die **Rue St. Jean**, die Sie direkt zum alten Stadtkern von Colmar führt.

Colmar

PLZ: F-68000; Vorwahl: 0033(0)389

🛈 **Office de Tourisme**, 4, rue des Unterlinden, ✆ 206892, www.ot-colmar.fr

🏛 **Musée Unterlinden**, 1, rue des Unterlinden, ✆ 201558/50, ÖZ: April-Okt. tägl. 9-18 Uhr; Nov.-März Mo, Mi-So 10-17 Uhr. Das international bekannte Museum ist das meistbesuchte Provinzmuseum Frankreichs. Sehenswert der Isenheimer Altar von M. Grünewald. In den Räumen eines 1789 säkularisierten Dominikanerinnenklosters sind archäologische, volkstümliche und kunstgewerbliche Sammlungen zu sehen.

🏛 **Musée Bartholdi**, 30, rue des Marchands, ✆ 419060, ÖZ: März-

Colmar – Quai de la Poissonnerie

Dez. Mo, Mi-So 10-12 u. 14-18 Uhr. Im Geburtshaus des Künstlers Bartholdi (1834-1904) erinnern zahlreiche Skizzen, Originalmodelle und Photos an den Schöpfer der New Yorker Freiheitsstatue.

🏛 **Musée d'Histoire Naturelle et d'Ethnographie (Naturhistorisches Museum)**, 11, rue Turenne, ✆ 238415, ÖZ: März-Dez. Mo, Mi-Sa 10-12 u. 14-17 Uhr, So 14-18 Uhr. Außer der Darstellung verschiedener Waldarten, die von der Rheinebene bis zu den Vogesengipfeln vorkommen, gibt es Schauräume zu Fauna und Geologie.

🏛 **Musée du Jouet et des Petits Trains (Spielzeug- und Modelleisenbahnmuseum)**, 40, rue Vauban, ✆ 419310, ÖZ: Feb.-Dez. Mo, Mi-So 10-12 Uhr u. 14-18 Uhr. Puppen, Marionettentheater, Miniaturzüge auf 800 m Schienen.

🛉 **Eglise des Dominicains (Dominikanerkirche)**, Place des Dominicains, ✆ 244657, ÖZ: Juli-Okt. Mo-Sa 10-18 Uhr, So 10-13 u. 15-18 Uhr; Nov.-Dez. 10-12.30 u. 15-17.30 Uhr; März-Juni 10-13 Uhr u. 15-18 Uhr, Sa 10-18 Uhr. Die prächtigen Buntglasfenster in Chor und Mittelschiff stammen aus dem 14. Jh. Das wertvollste Stück soll das in einem Schrein aufbewahrte Gemälde Martin Schongauers von 1473 sein, die „Madonna im Rosenhag".

✻ **Kopfhaus**, rue des têtes. 1609 in rheinischer Renaissance errichtetes Bauwerk. Hat seinen Namen von 105 Masken, die das Haus zieren.

✻ **Ehemalige Wachstube, (Corps de garde)**, place de la Cathédrale, an der Stelle der St. Jakobs Kapelle, bemerkenswertes Renaissance-Portal mit Erker.

✻ **Pfisterhaus**, rue des marchands. Erbaut 1537 im Auftrag Ludwig Scherers. Dieses Haus beinhaltet Merkmale der Renaissance und des Mittelalters, sehenswert ist die Fassadenmalerei des Christian Bockstorfer.

✻ **Koifhus**, (Ancienne Douane) Place de l'Ancienne Douane. Das 1480 im Stil der Gotik und der Renaissance erbaute Gebäude diente jahrhundertelang als Lager, Markt und Zollhalle. Heute ist es ein Kongresszentrum mit allen erforderlichen modernen Einrichtungen.

✻ **Palais des Hohen Elsässischen Rates**, (Conseil Souverain). Erbaut 1769-1771, beherbergte den obersten Gerichtshof der Provinz Elsass.

� **Fischerstaden**, (Quai de la Poissonnerie). Eine Anzahl von Fachwerkhäusern, die sich malerisch entlang des Flüsschens Lauch reihen. Wenn man der rue de la Poissonnerie folgt, gelangt man rasch nach „Klein Venedig" (Petite Venise), dem romantischen und alten Stadtviertel, wo vor allem Schiffer und Fischer lebten.

🚲 **Fahrradwerkstatt Cycles Service**, 10 Grand'Rue, Horbourg-Wihr, ✆ 413318

Die unter Denkmalschutz stehende Altstadt von Colmar strahlt eine Atmosphäre aus, die ihresgleichen sucht. Schön erhalten oder sorgfältig saniert, schmiegen sich im Schatten des Martinsmünsters Erker, Giebel und Mauervorsprünge der zahlreichen Fachwerkhäuser aus dem Mittelalter und der Renaissance aneinander.

Colmar ist heute nicht nur Museumsstadt: Basierend auf einer alten Textilmanufaktur aus dem 18. Jahrhundert, gibt es eine ausgeprägte Textilindustrie und über die Verbindung zum Rhein-Rhône-Kanal rechnet die Stadt mit weiteren wirtschaftlichen Impulsen.

Tipp: Zurück zum Rhein bei Neuf-Brisach können Sie dem selben Weg folgen, den Sie gekommen sind.

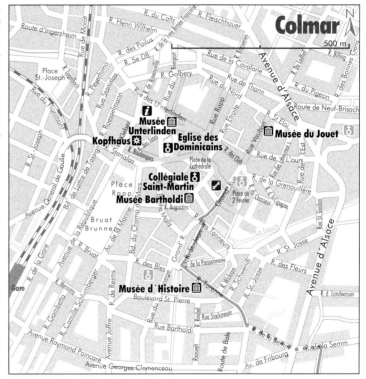

Bei Basel wendet sich der Fluss nach Norden und ergießt sich nun als Oberrhein in die weite Ebene des Rheingrabens, der von den Vogesen im Westen und vom Schwarzwald im Osten begrenzt wird. Der Flusslauf war früher nicht so gerade wie heute, und auch die Flussmitte bildete nicht immer die Staatsgrenze. Einen Ausflug durch den Breisgau zum Kurort Bad Krozingen und weiter nach Freiburg mit seinem berühmten Münster ist auf jeden Fall empfehlenswert.

Die rechtsrheinische Route auf deutscher Seite verläuft großteils auf fein geschotterten Radwegen ganz in Rheinnähe und ist fast frei von störendem Kraftfahrzeugverkehr.

Am rechten Rheinufer liegt im Stadtteil **Kleinbasel** der **Badische Bahnhof** der DB (Zollabfertigung hier im Gebäude), der von Deutschland aus als erster Halt in Basel angesteuert wird. Daher starten wir die rechtsufrige Variante auch direkt hier. Die Anfahrt vom **Hauptbahnhof Basel SBB** finden Sie ab S. 16.

Rheinfähre

Von Basel nach Neuenburg 37 km
Basel s. S. 18

Vom **Badischen Bahnhof** aus den Veloland-Schildern der Route Nr. 7 folgend zunächst rechts über den Parkplatz ~ im Verkehr der **Schwarzwaldallee** an der beampelten Kreuzung links einordnen und abbiegen ~ auf der **Maulbeerstraße** immer geradewegs Richtung Fluss hinunter (später **Sperrstraße**) ~ am Ende links auf den Radweg der **Klybeckstraße** ~ am Ende des Radwegs rechts in die **Kasernenstraße** ~ vom Gässchen **Klingental** führt ein kleines Tor über ein paar Stufen zum Ufer oder weiter über die **Untere Rheingasse** zur **Mittleren Brücke**, die aufs linke Ufer hinüberführt ~ auf dem **Unteren Rheinweg** flussabwärts ~ den Brückenkopf der Mittleren Brücke ziert eine Kapelle ~ entlang von schmucken Bürgerhäusern abwechselnd auf Radwegen und

B1

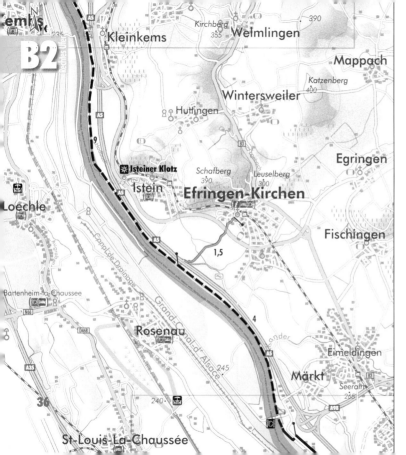

wenig befahrenen Straßen.

Tipp: Ausnahmeregelungen ermöglichen es, stellenweise gegen die Einbahnstraße zu fahren.

Nach der vierten Brücke zur **Hafenzone** von Basel ~ geradeaus am **Altrheinweg** bis zum **Wiesendamm**.

Tipp: Linker Hand befindet sich das **Schifffahrtsmuseum** mit einer Aussichtsterrasse über dem Rheinhafen.

Die Route biegt hier rechts ab ~ bei der ersten Brücke über das **Flüsschen Wiese** ~ geradeaus vorüber an einem

Das Rathaus in Basel

Restaurant ~ bei der nächsten Kreuzung rechts ~ danach wieder links in die **Kleinhüninger Anlage** ~ vor dem Kleinhüninger Hafen führt die Straße auf eine Brücke hinauf ~ gleich nach dem Bassin die **Zollgrenze** nach Deutschland passieren.

Tipp: Wenn Sie sich hier geradeaus und an der ersten Kreuzung links halten, kommen Sie zum Rheinpark mit einer Café-Terrasse am Ufer.

Weil am Rhein
~km 170

Die Hauptroute zweigt nach dem Zollamt rechts in die **Obere Schanzstraße** ab, wo ein Radschild nach

Märkt weist ~ vor bis zur Grenzstraße und dort links ~ die Hauptstraße queren und geradeaus weiter ~ bei der **Alten Straße** links ~ durch eine Wohnsiedlung ~ die Route führt unter der **Palmreinbrücke** hindurch.

Tipp: Linksrheinisch liegt bereits Frankreich, für einen Abstecher ins Elsässische haben Sie bald Gelegenheit.

Mit den letzten Industriebauten verabschiedet sich Weil am Rhein ~ der Radweg entlang der etwas größeren Straße führt nach einer Kläranlage links unter dieser Straße hindurch ~ nach Überqueren eines Gerinnes auf den Rheindamm ~ am Deich selbst oder auf dem schmalen Weg rechts davon nach 500 Metern zum alten Wehr von Märkt.

Tipp: Hier teilt sich der Strom in den **Grand Canal d'Alsace** und

den bereits früher begradigten Rhein. Am rechtsufrigen Damm beginnt mit einem rotgeschotterten Treppelweg die Veloroute Rhein in Baden-Württemberg.

Der gerade Dammweg führt entlang des schmalen Tulla-Rheins; dessen Mitte die Staatsgrenze bildet.

Der Rhein

Da der Strom fast nie zufriert, ist er noch heute als Aufenthaltsort für viele Wasservögel wichtig, die aus den Tundren des hohen Nordens in großen Scharen als Wintergäste den Oberrhein anfliegen. In der wärmeren Jahreszeit sind jedenfalls Graureiher, Lachmöwen, Schwäne und mehrere Entenarten zu erspähen. Hie und da wird wegen der geringen Wasserführung die ehemals angelegte Flusssohle, mitunter größere Steinblöcke tragend,

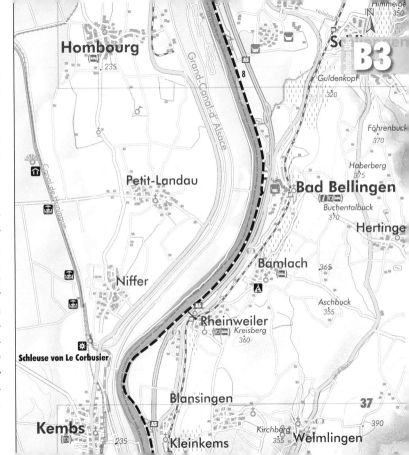

sichtbar. Es handelt sich um die Isteiner Schwelle, eine Kalkterrasse, die hier quert.

Tipp: Nach etwa 3,5 Kilometern gibt es bei einem mit zwei Steinblöcken markierten Parkplatz eine Abzweigmöglichkeit nach Efringen-Kirchen.

Efringen-Kirchen

PLZ: 79588; Vorwahl: 07628

🏢 Gemeindeverwaltung Efringen-Kirchen, Hauptstraße 26, ✆ 8060, www.efringen-kirchen.de

Hinter der Abzweigung kommt der **Isteiner Klotz**, eine Felsformation an den Hängen der Weinberge, ins Bild ∼ weiter am Damm taucht eine kleine Furt auf, die normalerweise problemlos zu passieren ist ∼ andernfalls hilft Ihnen eine Bogenbrücke übers Bächlein zu setzen ∼ nach einer leichten Flusswindung wendet sich der Weg zur Autobahn.

Tipp: 2,5 Kilometern später haben Sie die Möglichkeit, über den Kurpark nach Bad Bellingen abzuzweigen.

Bad Bellingen

PLZ: 79415; Vorwahl: 07635

🏢 Rathaus, Rheinstr. 25; Touristinformation, ✆ 808220; Bade-

Rathausplatz Neuenburg

Bad Bellingen

u. Kurverwaltung, ☎ 808217 od. 821100,
www.bad-bellingen.de

Rund 5 Kilometer nach dieser
Abzweigung unter der Autobahn
hindurch 〰 weiter an der Ufer-
böschung.

Kleine Schilder mit blauen Wel-
len, die Sie häufig sehen, bezeichnen
Wanderwege des Schwarzwald-
vereins. Über die künstliche, Kanal
und Rhein trennende Insel, wird stel-
lenweise der Blick frei auf den fran-
zösischen Hafen von Ottmarsheim/
Mulhouse und die vorbeiziehenden
Rheinschiffe.

Sie erreichen, bereits auf Beton,
die Eisenbahn- und Straßenbrücke
von Neuenburg.

Tipp: 500 Meter danach
können Sie rechts nach Neuenburg abzweigen. Einfach unter
der Autobahn hindurch in die
Stadtmitte auf den ausgebauten
Rathausplatz mit mediterranem
Charakter und einladender Gastronomie (Möglichkeit zu einem
historischen Stadtrundgang).

Neuenburg am Rhein

PLZ: D-79395; Vorwahl: 07631

🛈 Tourist-Information, Rathausplatz 5,
☎ 791111, www.neuenburg.de

Von Neuenburg zum Abzweig nach Freiburg   12,5 km

400 Meter hinter der Abzweigung nach Neuenburg am Rhein auf einem befestigten, aber holprigen Weg zum Parkplatz ∾ links am Uferweg weiter ∾ nordwärts dem gemütlichen Rheinuferweg folgen.

Tipp: Zirka 7 Kilometer nach Neuenburg am Rhein zweigt eine Straße nach Grißheim ab. Eine Gelegenheit, die Rheintour für eine Brotzeit im schön gelegenen Ort vor den Höhenzügen des Schwarzwaldes zu unterbrechen.

Grißheim

Am Rhein zieht der Radweg unverändert einladend und gut ausgebaut weiter.

Tipp: Rund 5 Kilometer nach dem Abzweig nach Grißheim startet der Ausflug nach Freiburg. Auf diesem gelangen Sie erst 8,5 Kilometer später zurück ans Rheinufer.

Ausflug nach Freiburg   29,5 km

Die am Austritt der Dreisam im südlichen Schwarzwald gelegene „Hauptstadt des Breisgaus" wartet mit ihrem viel gepriesenen Münster, einem faszinierenden Stadtbild und dem günstigsten Klima Deutschlands auf Ihren Besuch. Auf dem Weg bietet sich ein Schlenker über den Kurort Bad Krozingen (+14 km) an.

Nachdem Sie also dem Rheinufer bis auf Weiteres den Rücken gekehrt haben, kommen Sie nach 300 Metern zu einer Dreierkreuzung ∾ hier den mittleren Weg wählen ∾ an der zweiten Kreuzung dem Asphaltband nach links folgen ∾ nach 600 Metern unter der Autobahn hindurch, Richtung **Bremgarten** ∾ eine Baumreihe begleitet Sie bis zum Ort ∾ noch vor der Siedlung links.

Bis Hartheim haben Sie auf beiden Seiten der Landstraße Radwege ∾ im Ort geradeaus ∾ am Ortsende treffen Sie auf ein Schild des Rheintal-Radweges.

Hartheim

Rechts in die **Breisacher Straße** ∾ durch die Siedlung bis zur **Staufener Straße**, dort rechts ∾ eine Landstraße queren und gera-

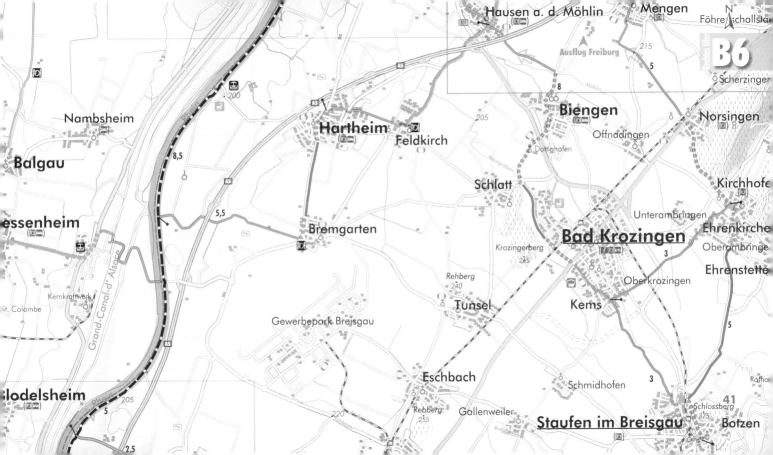

deaus auf **Feldkirch** zuradeln ∿ bei der Dorfkirche zweimal links ab, um dem **Schlosspark** auszuweichen ∿ Richtung Hausen an der Möhlin schlängelt sich der Weg bald durch Gemüse- und Spargelfelder ∿ nach Unterquerung der Autobahn geht es über eine Vorfahrtstraße ∿ geradeaus durch Hausen.

Hausen an der Möhlin

Tipp: Von Hausen können Sie noch einen Ausflug im Ausflug unternehmen und eine kleine zusätzliche Runde nach Bad Krozingen radeln, um vielleicht einen Sprung ins Spaß- und Erlebnisbad zu wagen.

Nach Bad Krozingen

Rechts ab unter der Autobahn hindurch ∿ entlang der **K 4936** durch **Biengen** nach Bad Krozingen.

Freiburg

Bad Krozingen

PLZ: D-79189; Vorwahl: 07633

🛈 Kur- und Bäderverwaltung Bad Krozingen GmbH, Herbert-Hellmann-Allee 12 und Basler Str. 1, ✆ 400863, www.bad-krozingen.de

✳ Therme Vita Classica, ✆ 4008-40 od. -60

☎ „aquarado" Spaß- und Erlebnisbad, Südring 7, ✆ 92770

Seit 1911 sprudeln hier im Markgräflerland, am Rand des Schwarzwaldes die heilkräftigen Mineral-Thermalquellen, die den höchsten Kohlesäuregehalt ganz Europas aufweisen. Sie bilden heute die Grundlage für den lebendigen Kurort mit seinem umfangreichen kulturellen Angebot.

Tipp: Ein kleiner Schlenker führt Sie nach Staufen im Breisgau. Dort lohnt ein Besuch der Burgruine.

Am Ortsende von **Oberkrozingen** direkt links über Bahn und Umgehungsstraße hinweg nach Kirchhofen ∿ auf direktem Weg Richtung Freiburg nun jedoch auf der **Kirchhofener Straße** ∿ von **Kirchhofen** nach **Norsingen** und geradeaus weiter ∿ auf Höhe der Ortslage rechts hinein nach **Mengen** ∿ an der **Hauptstraße** links ab nach **Munzingen**.

Munzingen

Weiter auf der „Hauptroute des Ausflugs nach Freiburg" direkt von **Hausen** in Richtung Freiburg vor dem Weinberg rechts auf den zur **Tunibergstraße** parallel verlaufenden Radweg ∿ gleich nach dem ersten Haus, aber noch vor Munzingen rechts ab ∿ gleich danach links halten ∿ vor bis zur Kreuzung mit der **Romanstraße**.

Dort links und gleich darauf wieder rechts ∿ Munzingen in einer Geradeausfahrt hinter sich lassen ∿ auf einem schmalen Güterweg zwischen Feldern, Hecken, verstreut stehenden Obstbäumen weiter ∿ wo der Weg in einer T-Form endet, nach rechts ∿ ein paar hundert Meter weiter links ab ∿ beim nächsten Anstoßen wieder rechts ∿ über eine Landstraße ∿ in einem Linksbogen an

Merdingen

Waltershofen

Landwasser

Brühl

Zähringen

St. Nikolaus

Mundenhof

Lehen

Mooswald

Herdern

Betzenhausen

Opfingen

Öpfinger See

Freiburg im Breisgau

Rieselfeld 1,8

Neuburg

Rohrberg 270

Hunnenbück 230

6

Weingarten

4,5 Stühlinger

Münster

Oberau

Niederrimsingen

Blankenberg 215

Tiengen

Arlesheimer See

Haslach

Wiehre

errimsingen

St. Georgen

Uffhausen

Bromberkopf 605

Hennenberg 260

5

Merzhausen

Rehhagk

Kreuzkopf 525

Munzingen

Leutersberg

Günterstal

3

Schallstadt

Sommerberg 335

Au

1

Hausen a. d. Möhlin

Mengen

Föhrenschallstadt

Ebringen

Schönberg

Illenweg 645

43

Butzenberg 605

215

5

Kienberg 435

Wittnau

8

Möhlin

Scherzingen

die B 31 ∿ geradeaus weiter ∿ unmittelbar vor der Ortseinfahrt nach **Tiengen** und diesseits vom **Bachgraben**, nach rechts auf den unbefestigten Weg abzweigen ∿ dessen Verlauf bis vor Opfingen folgen.

Opfingen

Bei der Kreisstraße rechts auf den straßenbegleitenden Radweg ∿ auf gut ausgebautem Radweg durch den **Mooswald** bis Haslach.

Tipp: Der Blick wird frei auf die Stadt Freiburg und auf die bewaldeten Schwarzwaldberge im Hintergrund.

Haslach

In Haslach an der großen Kreuzung geradeaus ∿ gleich darauf links ab ∿ stets geradeaus ∿ in weiterer Folge an der **Freizeitanlage Dietenbach** vorbei ∿ nach einem Rechtsbogen links und über die **B31a** ∿ noch vor der Brücke rechts und auf dem Radweg rechts des Flusses geradeaus ∿ unter mehreren Brücken hindurch ∿ links ab und über den Fluss **Dreisam** ∿ bei der nächsten größeren Kreuzung, wo die Gleise einer Stadtbahn kreuzen, rechts Richtung Stadtmitte ∿ entlang der Straßenbahn und am Hauptbahnhof vorüber geht es in der **Bertoldstraße** weiter, die schließlich zur Fußgängerzone führt.

Freiburg

PLZ: D-79098-79117; Vorwahl: 0761

i Tourist Information, Rotteckring 14, 79098 Freiburg ✆ 3881880, www.freiburg.de

i FIT Freiburg Incoming Touristik, Am Bischofskreuz 1, 79114 Freiburg, ✆ 88581-145, www.freiburg-tourist.de

🏛 Augustinermuseum, Am Augustinerplatz, Salzstr. 32, ✆ 2012531, ÖZ: Di-So 10-17 Uhr. Schwerpunkt der Sammlung ist die Oberrheinische Kunst. Gemälde von Hans Baldung Grien, Matthias Grünewald oder Lukas Cranach. Die Schau der Glasmalerei vom Mittelalter bis zur Gegenwart ist eine der bedeutendsten in Deutschland.

🏛 Wentzingerhaus – Museum für Stadtgeschichte, Münsterplatz 30, ✆ 2012515, ÖZ: Di-So 10-17 Uhr. Glanzstück des Museums ist die Münsterbaustelle – eine Mischung aus Architekturmodell und Zinnfigurendiorama. Einige Räume sind dem Maler, Bildhauer und Architekten Johann Christian Wentzinger

Freiburg

(1710-97) gewidmet.

🏛 Museum für Neue Kunst, Marienstr. 10a, ✆ 2012581, ÖZ: Di-So 10-17 Uhr. Mit den Themen Expressionismus, Neue Sachlichkeit und Abstraktion der 50er Jahre sowie mit Werkbeispielen von Künstlern der jüngeren Generation setzt die Sammlung einen wichtigen Akzent in der Kunstszene Südwestdeutschlands.

🏛 Adelhausermuseum Abteilung Naturkunde, Gerberau 32, ✆ 2012566, ÖZ: Di-So 10-17 Uhr. Neben den geologischen, botanischen und zoologischen Sammlungen, welche die Umgebung von Freiburg präsentieren, wecken besonders das Edelsteinkabinett und die Spezialschau zum Thema Bienen Interesse.

🏛 Adelhausermuseum Abteilung Völkerkunde, Gerberau 32, ✆ 2012566, ÖZ: Di-So 10-17 Uhr. Die in ihrer Art bedeutende Ausstellung begleitet Sie um die Welt: von den alten Hochkulturen Ostasiens und Ägyptens über die indianischen Völker Amerikas und die Stämme Afrikas zu den Kulturen der Südsee.

🏛 Museum für Ur- und Frühgeschichte, Colombischlössle, Rotteckring 5. ✆ 2012571, ÖZ: Di-So 10-17 Uhr. In drei Etagen werden hier die Epochen der Urgeschichte bis zu den Kelten, der Römerzeit und des frühen Mittelalters durch Ausgrabungsfunde dargestellt.

🏛 **Freiburger Fasnet-Museum** im „Zunfthaus der Narren", Turmstr. 14, ☎ 22611, ÖZ: Sa 10-14 Uhr u. n. V. Eine Sammlung zur Fastnacht in Freiburg, die seit den 30er Jahren des 20. Jhs. in der traditionellen alemannischen Form gefeiert wird.

🕴 **Münster**, Am Münsterplatz. ÖZ: Münsterbesichtigungen außerhalb der Gottesdienstzeiten; Münsterführung: tägl. (außer Fei) Münsterturm: Mo-Fr 9.30-17 Uhr, So/Fei 13-17 Uhr, Nov.-April, Mo geschlossen. Wahrzeichen der Stadt und wahrlich ein Prachtexemplar des gotischen Sakralbaus. Nach insgesamt 300-jähriger Baugeschichte fand seine Weihe erst 1513 statt. An die spätromanischen Ostteile schlossen sich nun das gotische Langhaus und der bis dahin beispiellose Westturm an. Bürgersinn und Spendenfreudigkeit verrät auch die reiche Ausstattung des Inneren: farbige Fenster mit dem Wappen der Patrizier und Zünfte oder die prachtvollen Chorkapellen mit Altären vom Spätmittelalter bis zur Neugotik. Eine Turmbesteigung führt vorbei am Glockenstuhl mit der 1258 gegossenen Hosanna zur Turmplattform unter dem prächtigen Maßwerkhelm, die einen weiten Überblick über die Stadt und das Umland bietet.

✴ **Historisches Kaufhaus**, Münsterplatz. Der spätgotische Bau mit Treppengiebeln zeugt von der Bedeutung des Handels im mittelalterlichen Freiburg. Seine Bauzeit fällt in die ersten Jahrzehnte des 16. Jhs. Die Wappen, die Standbilder von Erkern und die Fassade sollen die Verbundenheit zum Haus Habsburg unterstreichen.

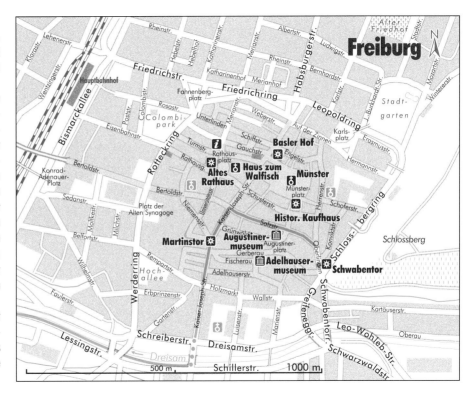

✴ **Altes Rathaus**, Rathausplatz. 1557-59 aus mehreren älteren Häusern zusammengefügt. Hinter dem Gebäude befindet sich die aus dem 13. Jh. stammende Gerichtslaube, das älteste Rathaus der Stadt. In ihr wurde 1498 der Reichstag abgehalten.

✴ **Basler Hof**, Kaiser-Joseph-Str. Eine weitere wichtige Adresse auf den Spuren der Reformationsgeschichte: Von 1587 an diente der Hof für fast 100 Jahre dem Basler Domkapitel als Exilresidenz. Die Domherren ließen das 1496 errichtete Gebäude neu dekorieren und auch die Basler Stadtheiligen an der Fassade anbringen.

✴ **Breisgau-S-Bahn**. S-Bahn-Verbindung zwischen Freiburg-Breisach und Freiburg-Waldkirch im Halb-Stundentakt, Dauer zirka 1/2 Stunde, Fahrradmitnahme in allen Zügen im Rahmen des vorhandenen Platzes.

🖼 **Botanischer Garten**, Okenstraße, ÖZ: Freigelände tägl. 8-20 Uhr, ÖZ: Gewächshäuser Di, Do, So 14-16 Uhr. Tropenhäuser, Prähistorische Pflanzen und deren Evolution, Orchideensammlung, etc.

🖊 **Hilmers**, Gauchstr. 19, ✆ 31314

🖊 **RADikal**, Greiffeneggring 1, ✆ 7660781

In einer Ausbuchtung der Oberrheinebene nach Osten wurde Freiburg 1120 von der schwäbischen Adelsfamilie der Zähringer gegründet. Am Kreuzpunkt der Fernhandelsstraßen Frankfurt-Basel und Paris-Wien gelegen, erblühte die Stadt – auch dank des Silberbergbaus – rasch zum Zentrum des Breisgaus.

Zeitweise fungierte Freiburg als Hauptstadt Vorderösterreichs. Die 1457 von Erzherzog Albrecht gestiftete Freiburger Universität ist eine der ältesten Universitätsgründungen und erlangte in der Folge zunehmend Bedeutung. Die Reformation konnte sich in Freiburg nicht durchsetzen, vielmehr bot die Stadt Religionsflüchtlingen Zuflucht.

Nach dem Dreißigjährigen Krieg baute Marschall Vauban sie – ähnlich wie in Strasbourg und Neuf-Brisach – zu einer starken französischen Festung aus, die im 18. Jahrhundert restlos gesprengt wurde. Nach dem Zweiten Weltkrieg gab sich die stark zerstörte Stadt sichtlich viel Mühe, das Ambiente der Altstadt möglichst originalgetreu wiederherzustellen. Dies ist um so mehr gelungen, als die Stadt eine

Breisach am Rhein

richtungsweisende Verkehrspolitik verfolgt und den Umstieg auf umweltschonendere Fortbewegungsmittel forciert.

Tipp: Um zum Rhein zurückzukehren, folgen Sie bis zum Ort **Hausen an der Möhlin** demselben Weg, den Sie gekommen sind (19 km). Von dort sind es dann nur mehr 5,5 Kilometer zurück zum Rheinufer und der Hauptroute.

Hausen an der Möhlin

An der ersten Kreuzung rechts in die **Falkensteinstraße** ↝ geradewegs durch den Ort ↝ über die B 31 ↝ somit den beschilderten Radweg verlassen ↝ auf einem schmalen Wirtschaftsweg nach Grezhausen.

Grezhausen

Durch das Dorf ↝ am Ortsende jener Straße folgen, die sich halbrechts abwendet ↝ wieder auf die Bundesstraße zu ↝ kurz davor links ↝ am **Kieswerk** vorüber ↝ nach

1,5 Kilometern zum Rheindamm ⤳ hier wendet sich der Weg nach rechts, aber nach 100 Metern können Sie bereits auf den Damm wechseln und die Hauptroute problemlos fortsetzen.

Vom Abzweig Freiburg nach Breisach   17,5 km

Wer also nicht nach Freiburg gefahren ist, setzt die Fahrt am Rheindamm fort ⤳ 3 Kilometer nach der Abzweigung nach Freiburg das nette **Rheinwärterhäuschen** umfahren ⤳ nach ruhigen 3 Kilometern zweigt die Route rechts vom Damm weg ⤳ kurvig durch den **Breisacher Wald** ⤳ an der T-Kreuzung links ⤳ nach einem Buffet unweit eines kleinen Hafens wieder am Rhein quert eine Asphaltstraße.

Tipp: Hier stoßen jene wieder auf die Hauptroute, die Freiburg

einen Besuch abgestattet haben.

Weiter links zum Damm, wo sich die Straße nach rechts wendet ⤳ nach hundert Metern auf den Treppelweg wechseln ⤳ noch vor Breisach auf asphaltiertem Radweg ⤳ am Ende einer prächtigen, langen Hainbuchenreihe erscheint bereits die Rheinbrücke von Breisach ⤳ vor dieser Verbindung zwischen dem Elsass und dem Badischen am Ruderverein und dem Kulturwehr vorüber.

Unter der Brücke hindurch ⤳ über die Einmündung der Möhlin ⤳ bei der Schiffsstation rechts ⤳ unterhalb des hoch gelegenen Münsters knickt die Veloroute-Rhein links in die **Josef-Bueb-Straße** ab.

Tipp: Rechts kommen Sie zur Breisach-Touristik in der Unterstadt und ins historische Zentrum hinauf.

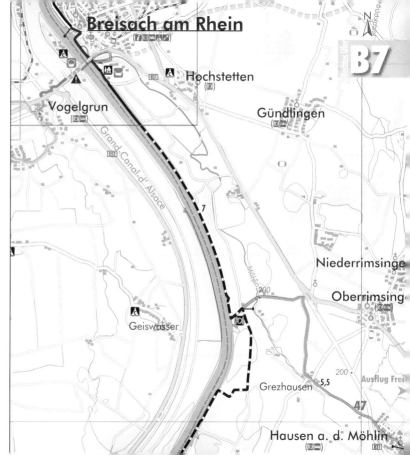

Breisach am Rhein ~km 226

PLZ: D-79206; Vorwahl: 07667

- 🛈 **Breisach-Touristik**, Marktpl. 16, ☎ 940155, www.breisach.de
- ⛴ **Breisacher Fahrgast-Schifffahrt**, Rheinuferstraße, ☎ 942010. Von Mai-Okt. tägl. Rund- und Schleusenfahrten. Außerdem kulinarische Tagesfahrten nach Strasbourg, Colmar und Basel, Karten hierfür nur im Vorverkauf. Abfahrtsstelle: Rheinuferstraße
- 🏛 **Museum für Stadtgeschichte**, Rheintorplatz, ☎ 83265 od. 7089, ÖZ: Di-Fr 14-17 Uhr, Sa/So/Fei 11.30-17 Uhr. Die Sammlung bietet einen Rundgang durch die fast 4.000-jährige Geschichte Breisachs. Schwerpunkte bilden das umfangreiche Fundmaterial einer Handwerker- und Händlersiedlung der keltischen La-Tène-Kultur von Breisach-Hochstetten, die mittelalterlichen Siedlungsreste vom Münsterberg und die Entwicklung der Breisacher Festung. Wechselnde Sonderausstellungen.
- 🏛 **Rheintor**. Rheinplatz. Mit seiner Prunkfassade ist das 1678 erbaute Tor als Rest der unter Ludwig XIV. ausgebauten französischen Festung erhalten. Seit 1991 Museum für Stadtgeschichte.
- ⛪ **St. Stephansmünster**, Besichtigung tägl. außerhalb der Gottesdienstzeiten, Führungen unter ☎ 203. Ein Neubau des Münsters anstelle einer 1139 erwähnten Kirche war im 12. Jh. begonnen worden. Deutlich sind die einzelnen Bauphasen zu erkennen. Selbst das symmetrische Turmpaar besteht aus einem rein romanischen und einem gotisch aufgelockerten Teil. Sehenswert

Neuf-Brisach – Porte de Belfort

sind der Hochaltar (1526) und Wandmalereien vom Jüngsten Gericht und der Auferstehung.

- ✸ **Badischer Winzerkeller**, Zum Kaiserstuhl 16, ☎ 9000. Einer der bedeutendsten Winzerbetriebe in Europa. Kellerführungen mit Multi-Dia-Show und Weinprobe. Mo-Sa, vor- oder nachmittags gegen Voranmeldung. Dauer ca. 2 ½ Stunden.
- ✸ **Breisgau- S-Bahn**. S-Bahn-Verbindung zwischen Freiburg und Breisach im Halbstundentakt (abends und So in Stundentakt), Dauer zirka 1/2 Stunde, Fahrradmitnahme in allen Zügen im Rahmen des vorhandenen Platzes.
- 🚲 🔧 **Firma Schweizer**, Neutorstr. 31, ☎ 7601
- 🚲 🔧 **Zweirad Sütterlin**, Im Gelbstein 19, ☎ 6399
- 🚲 **Fahrradvermietung Fun-Bike**, Metzgerg. 1, ☎ 7733

Auf einem zum Rhein vorgeschobenen vulka-

nischen Bergrücken gelegen, hatte die Vorläufersiedlung von Breisach bereits zu römischen Zeiten eine große strategische Bedeutung gehabt. Nach 1198 errichteten die Zähringer eine mächtige Burganlage auf dem nördlichen Felsplateau. Breisach wurde in den darauf folgenden Jahrhunderten eine der am heißest umkämpften Festungen in Europa. Abwechselnd wurde sie von Franzosen und Habsburgern in Besitz genommen. Die von Vauban unter Ludwig XIV. verstärkte Festung wurde schließlich auf Befehl von Maria Theresia 1741-45 geschleift. Im Zweiten Weltkrieg wurde die Stadt zu 85% zerstört, das historische Stadtbild jedoch beim Wiederaufbau bewahrt. Heute ist Breisach Zentrum des badischen Weinlandes mit großen Wein- und Sektkellereien.

Das Verhältnis der Stadt zum Fluss muss vor der Rheinregulierung allerdings ein recht flexibles gewesen sein: Infolge des häufig wechselnden Rheinlaufes befand sich nämlich Breisach während der römischen Zeit westlich des Stroms, im 10. Jahrhundert auf einer Insel, zwei Jahrhunderte später wieder auf der elsässischen Seite, und erst seit dem 14. Jahrhundert ist die Stadt auf der östlichen Seite zu finden.

Tipp: Doch bevor Sie sich wieder aufmachen, dem Rhein weiter nach Norden zu folgen, empfiehlt sich ein Abstecher in die Festungsstadt Neuf-Brisach und von dort aus vielleicht weiter nach Colmar, einer besonders hübschen Stadt im Elsass (s. S. 30). Für den Abstecher nach Neuf-Brisach benutzen Sie am besten die Karte 5 auf Seite 27. Sie können dann natürlich auch am französischen Ufer nach Strasbourg weiterfahren.

Abstecher nach Neuf-Brisach   6 km

Wenn Sie den Ausflug gleich vom Rheinufer aus starten, noch vor der Brücke von Breisach nach rechts ab der Möhlin folgen ～ nach ein paar hundert Metern links über den kleinen Fluss ～ nach einigen Kleingärten links dem Radweg, der zur Brücke führt, folgen.

Breisach

Aus Breisach kommend auf der mäßig befahrenen **Rheinstraße** bis zum Kreisverkehr an der **B 31** ～ hier auf den Radweg zur Brücke.

Auf der Brücke – ⚠ teils gefährlich im Verkehr – über die geräumige **Doppelschleuse** und das Kraftwerk des Grand Canal ～ im Kreisverkehr rechts ab Richtung Volgelsheim ～ vor der Bahn links halten und schließlich am **Bahnhof** vorbei (**Rue de la Gare**).

Volgelsheim s. S. 28

Vor dem **Canal du Rhône au Rhin** (Rhein-Rhône-Kanal) geradeaus auf einen Radweg an der Bahnlinie entlang über die Brücke ～ links durch das **Strasbourger Tor** in den Festungsort hinein ～ auf der **Rue de Strasbourg** bis zum zentralen **Place d'Armes Géneral de Gaulle**.

Neuf-Brisach s. S. 29

Breisach am Rhein

Hinter Artzenheim führt der Weg größtenteils durch die Natur und verbindet die Entdeckung von angenehmen Orten entlang des Rheins oder des Kanals mit der Fahrt unter schattigen Bäumen. Ab Marckolsheim durchquert die Route zahlreiche typische Rieddörfer, bevor sie wieder an den Rhein-Rhône-Kanal gelangt. Bis nach Strasbourg passieren Sie viele Schleusen und charakteristische Kirchen, wie in Mauchenheim, Neunkirch, Plobsheim oder in Eschau, die zu einer besinnlichen Rast einladen. Strasbourg, die Hauptstadt Europas und zugleich das Endziel dieser Etappe mit ihren unzähligen historischen Gebäuden, ist auf alle Fälle einen längeren Besuch wert.

Die französische Seite zeichnet sich weiterhin durch Wegstrecken auf asphaltierten Radwegen entlang des Rhein-Rhône-Kanals und Landstraßen, manchmal auch mit mäßigem Verkehrsaufkommen, aus.

Von Neuf-Brisach nach Marckolsheim   **19 km**

Sie kehren wieder nach Volgelsheim zurück ∼ links auf direktem (Rad-)Weg nach Biesheim.

Biesheim

PLZ: F-68600; Vorwahl: 0033(0)389

- ❷ **Touristinformation** Le Capitol - Place de la Mairie; 13, Grand'Rue, ✆ 720169, www.ville-biesheim.fr
- ▥ **Gallo-Römisches Museum,** (musée Gallo-Romain) Le Capitole - Place dala Mairie, ✆ 720158, ÖZ: Mi, Fr 14-17.30 Uhr, Do 9-12 u. 14-17.30 Uhr, Sa/So 14-17 Uhr. Ausgrabungsfunde der römischen Siedlung werden ausgestellt.
- ▥ **Museum für optische Geräte,** (musée de l'optique) Le Capitole - Place de la Mairie, ✆ 720159, ÖZ: Mi, Fr 14-17.30 Uhr, Do 9-12 u. 14-17.30 Uhr, Sa/So 14-17 Uhr. Über 300 ausgestellte Geräte veranschaulichen die Entwicklung der technischen Optik im Bereich der Astronomie, Nautik, Landesvermessung, Mikroskopie und Lasertechnik

Im Ort nach rechts ∼ vor Ortsende vor der Brücke wieder links ∼ an der T-Kreuzung rechts ∼ bei der Vorfahrtstraße links in die **Rue du Stade** ∼ noch vor der Brücke, die über den Kanal führt, links auf den Radweg ∼ nach rund 4 Kilometern am **Canal de Neuf-Brisach** an der **D 468** rechts abbiegen.

Kunheim

PLZ: F-68320; Vorwahl: 0033(0)389

- ❷ **Gemeindeamt,** ✆ 474040

In Kunheim rechts halten ∼ den Ort Richtung Baltzenheim verlassen.

Baltzenheim

Geradeaus über die Vorfahrtsstraße ∼ in einer Linkskurve den Ort verlassen ∼ rund 3,5 Kilometer weiter bis Artzenheim.

Artzenheim

Auf der **D 468** bis Marckolsheim ∼ beim Kreisverkehr geradeaus ins

Kunheim

Biesheim

Breisach am Rhei

Wolfgantzen

Ausflug Colmar

Festung

Neuf-Brisach

Volgelsheim

Vogelgrun

Canal de Neuf-Brisach

Canal de Widensolen

Rhein

Linkes Ufer

4,5

4,5

0,5

51

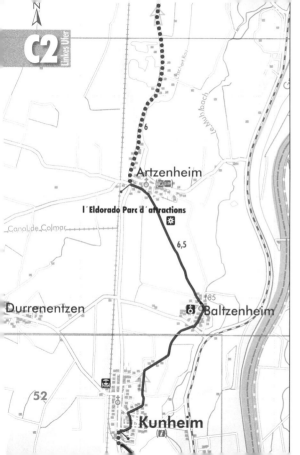

N

L'Muehl.bach

6

Artzenheim

l´Eldorado Parc d´attractions

Canal de Colmar

6,5

185

Durrenentzen

Baltzenheim

52

Kunheim

Zentrum.

Marckolsheim

PLZ: F-67390; Vorwahl: 0033(0)388

- **Office de Tourisme**, 27, rue de Maréchal Foch, ☏ 925698, www.grandried.free.fr
- **Gedenkstätte und Museum der Rheinischen Maginotlinie**, ☏ 925170, ÖZ: 15. Juni-15. Sept. tägl. 9-12 u. 14-18 Uhr; 16. Sept.-14. Juni So/Fei 9-12 u. 14-18 Uhr. Es sind hier Waffen und Erinnerungen an die Kämpfe von 1940 ausgestellt.
- **Fahrradwerkstatt Garage Weyh**, ☏ 925032
- **Fahrradvermietung** im Office de Tourisme, ☏ 925698

Von Marckolsheim nach Bindernheim   19 km

Tipp: ⚠ Da es nicht besonders angenehm ist, auf der Radspur der verkehrsreichen D 424 nach Heidolsheim zu fahren, bieten wir Ihnen eine zweite Möglichkeit an: Nehmen Sie in Marckolsheim die Abzweigung nach links zur **D 208** und folgen deren Verlauf durch **Ohnenheim** und **Heidolsheim** hindurch bis zum Kreisverkehr, wo Sie wieder an die Hauptroute

anschließen.

Auf der Hauptroute am Ortsende erneut zum Kreisverkehr ∿ links auf die **D 424**.

Tipp: Fahren Sie am Kreisverkehr rechts auf die **D 424**, so gelangen Sie nach 5 Kilometern ans rechte Rheinufer (siehe Karten 20/21).

Auf dem Radstreifen zum Kreisverkehr bei **Heidolsheim** ∿ hier rechts auf die **D 208** ∿ an der T-Kreuzung rechts auf die **D 205**.

Hessenheim

In Hessenheim links auf die **D 605** ∿ an der Gabelung im Ort rechts auf die **D 705** ∿ am Kreisverkehr in **Schwobsheim** weiter geradeaus auf der **D 705** ～ auf Höhe Sundhouse erneut zu einem Kreisverkehr ～ hier geradeaus auf die **D 21**.

Wittisheim

Dem Verlauf der **D 21** bis zur Kreuzung bei der Kirche folgen ～ schräg rechts in die **Rue de Bindernheim** ～ beim Kreisverkehr geradeaus weiter auf der **D 82**.

Bindernheim

Von Bindernheim nach Strasbourg   **39 km**

Im Dorf zur **D 211** und links ab ～ an der Vorfahrtstraße geradeaus auf die **D 82**.

Witternheim

Auf der **Rue de Bindernheim** zur Kreuzung ～ hier rechts auf die **D 203** bzw. ihren Radweg ～ durch **Neunkirch** wieder im Verkehr ～ nach der Brücke links auf den Radweg abzweigen, der

am **Canal du Rhône au Rhin** (Rhein-Rhône-Kanal) entlang bis nach Strasbourg führt ～ dabei werden folgende Ortschaften nur tangiert:

Rhinau   **~km 261**

PLZ: F-67860; Vorwahl: 0033(0)388

- 🄸 **Office de Tourisme**, Rue du Rhin, ✆ 746896, www.grandried.free.fr
- ⛴ **Rheinfähre Rhinau–Kappel**, Betriebszeiten: April-Juni u. Sept.-Okt. Mo-Fr 5.30-20.55 Uhr, Sa/So/Fei (in D oder F) 6.30-21.55 Uhr; Juli-Aug. Mo-Fr 5.30-21.55 Uhr, Sa/So/Fei (in D oder F) 6.30-21.55 Uhr; Nov.-März Mo-Fr 5.30-18.55 Uhr, Sa/So/Fei (in D oder F) 7-18.55 Uhr

Staustufe Gerstheim   **(~km 272)**
Erstein

PLZ: F-67150; Vorwahl: 0033(0)388

- 🄸 **Office de Tourisme**, 16, rue du Générale de Gaulle, ✆ 981433, www.grandried.free.fr
- 🛠 **Fahrradwerkstatt Cycles Jost**, ✆ 981313
- 🚲 **Fahrradvermietung** im Office de Tourisme, ✆ 981433

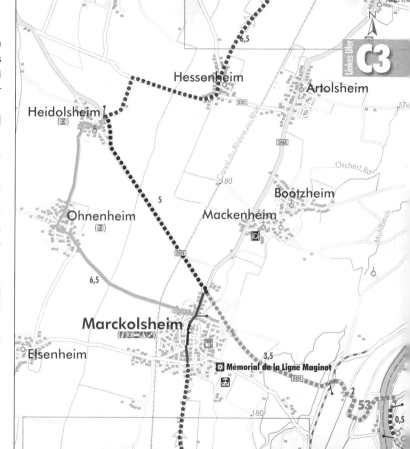

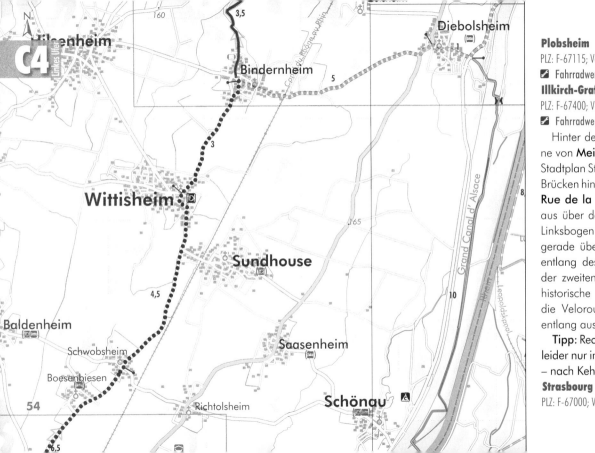

Linkes Ufer

Plobsheim (~km 280)

PLZ: F-67115; Vorwahl: 0033(0)388

Fahrradwerkstatt F. Schalck, ✆ 985122

Illkirch-Graffenstaden

PLZ: F-67400; Vorwahl: 0033(0)388

Fahrradwerkstatt Sport 2000, ✆ 661910

Hinter der rechts gelegenen Industriezone von **Meinau** unweit der **Île Weiler** (vgl. Stadtplan Strasbourg S. 59) unter mehreren Brücken hindurch, ∿ schließlich entlang der **Rue de la Plaine-des-Bouchers** geradeaus über den Kanal ∿ drüben im engen Linksbogen hinunter ans Wasser, unter der gerade überquerten Brücke hindurch und entlang des **Quai Louis Pasteur** ∿ an der zweiten Brücke kommen Sie links ins historische Stadtzentrum, geradeaus führt die Veloroute-Rhin weiter immer am Kai entlang aus Strasbourg hinaus.

Tipp: Rechts über die Brücke können Sie – leider nur immer entlang der Hauptstraßen – nach Kehl am deutschen Ufer radeln.

Strasbourg (~km 294)

PLZ: F-67000; Vorwahl: 0033(0)388

- ℹ **Office de Tourisme**, 17, Place de la Cathédrale, ☎ 522822, www.ot-strasbourg.fr
- ⚓ **Schiffsrundfahrten** durch Strasbourg auf dem Fluss Ill. Port Autonome de Strasbourg, 15, Rue de Nantes. ☎ 841313. Kommentare auch in Deutsch und Englisch. Abfahrten: Rohan-Schloss, alle 30 Minuten. April-Okt. 9.30-21 Uhr; Jan.-März Nov. 10.30, 13, 14.30 Uhr u. 16 Uhr; Dez. 9.30-17 Uhr. Dauer: 1 1/4 Stunde
- 🏛 **Musée de l'Œuvre Notre-Dame (Frauenhausmuseum)**. 3, Place du Château, ☎ 525004, ÖZ: ganzjährig, Di-So 10-18 Uhr. Das Museum umfasst die kulturelle und künstlerische Entwicklung des Elsass von 1000 bis um 1700.
- 🏛 **Musée Alsacien (Elsässisches Museum)**, 23, Quai St-Nicolas, ☎ 525004, ÖZ: Jan.-März 10-18 Uhr; April-Juni 12-18 Uhr; Juli-Aug. 10-18 Uhr; Sept.-Dez. 12-18 Uhr. Mo, Mi-So 10-18 Uhr
- 🏛 **Musée des Arts Décoratifs (Museum für Kunstgewerbe)**, 2, Place du Château, ☎ 525004, ÖZ: Mi-Mo 10-18 Uhr
- 🏛 **Musée des Beaux-Arts (Museum der Schönen Künste)**, 2, Place du Château, ☎ 525004, ÖZ: Mi-Mo 10-18 Uhr.
- 🏛 **Musée Archéologique**, 2, Place du Château, ☎ 525004, ÖZ: Mi-Mo 10-18 Uhr
- 🏛 **Musée d'Art Moderne et Contemporain**, 1, Place Hans Jean Arp, ☎ 233131, ÖZ: Di, Mi, Fr, Sa 11-19 Uhr, Do 12-22 Uhr,

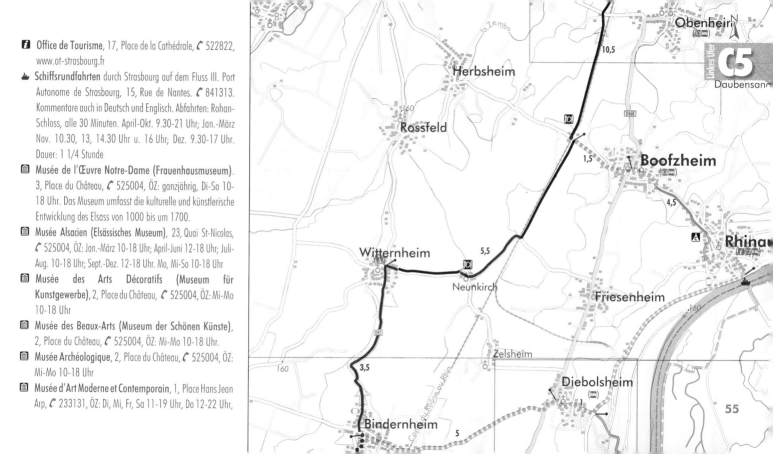

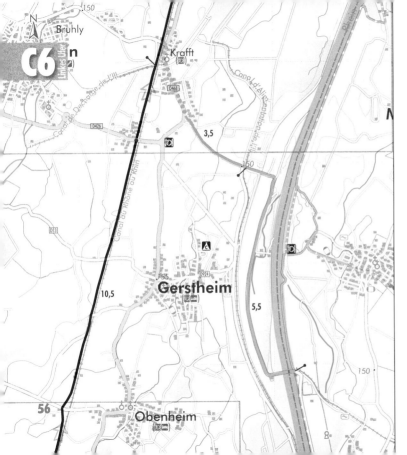

Bruhly

Krafft

D468

Canal d'Alimentation de l'Ill

Canal de Décharge de l'Ill

3,5

D426

150

D13

10,5

Gerstheim

5,5

56

Obenheim

150

So 10-18 Uhr

🏛 **Musée Zoologique**, 29, Boulevard de la Victoire, ☎ 0390/240485. ÖZ: Mi-Mo 10-18 Uhr

🏛 **Naviscope Alsace**, Bassin des Remparts/rue du Général Picquart, ☎ 602223, ÖZ: Juli-Aug. tägl. 14.30-17.30 Uhr; Sept.-Juni Di, Mi, Sa u. So 14.30-17.30 Uhr. Auf dem Schubboot „Strasbourg" werden Sie umfassend über die Geschichte rund um die Rheinschifffahrt informiert.

🏛 **Le Planétarium de Strasbourg**, rue de l'Observatoire, ☎ 0390/242450. ÖZ: ganzjährig Di-Fr 9-12 u. 14-17 Uhr, So 14-17 Uhr.

🔯 **Strasbourger Münster**, ☎ 522828, ÖZ: tägl. 7-11.45 u. 12.40-19 Uhr. Die Cathédrale Notre-Dame ist eine der großartigsten Sakralbauten des Mittelalters. Der Turm ragt über 140 m auf. Besteigen der Münster-Plattform über 332 Stufen (66 m hoch) möglich. Das

Strasbourg – Temple St. Paul

Spiel der astronomischen Uhr (durch das Südportal) beginnt um 12.30 Uhr.

🔯 **Kirche Saint Pierre le Jeune**, Place Saint-Pierre-le-Jeune, ☎ 522828, ÖZ: April-Okt. Mo 13-18 Uhr, Di-Sa 10-12 u. 13-18 Uhr, So 14.30-18 Uhr. Außerhalb der genannten Monate Termine nur n. V. Der ursprüngliche Bau ist eine römische Katakombe aus dem 4. Jh. welche heute noch zu sehen ist.

🔯 **Kirche Saint-Thomas**, rue Martin Luther, ☎ 522828, ÖZ: Mai-Okt. 10-12 u. 14-18 Uhr; Nov.-Dez. 10-12 u. 14-17 Uhr; Feb.-April 10-12 u. 14-17 Uhr. Romanisch-gotische

Kirche aus dem 12.-14. Jh.

⚜ **Aussichtsterrasse von Barrage Vauban (Vaubanwehr),** ☎ 609716, ÖZ: ganzjährig 9-19.30 Uhr. Blick über die ganze Stadt. Teil der vom Festungsbaumeister Vauban im 17. Jh. entworfenen Anlage, zu der auch die Zitadelle mit dem fünfzackigen Sterngrundriss gehörte. Ponts Couvers – Place du Quartier Blanc.

⚜ **Besichtigung des Europapalastes – Europarat und Europäisches Parlament (EU).** Avenue Robert Schuman, ☎ 174001. Ganzjährig für angekündigte Gruppen. Auch Teilnahme an den Sitzungen des Europäischen Parlaments möglich.

Strasbourg

⚜ **Le Vaisseau/Wissenschafts- und Technikzentrum** für 3-15-jährige, 1bis rue Philippe Dollinger, ☎ 444400, ÖZ: Okt.-Aug. Di-So 10-18 Uhr. Dieses Zentrum ist ein Ort, wo die ganze Familie auf Entdeckungsreise gehen kann. Es warten die versch. naturwissenschaftlichen und technischen Stationen auf die Besucher. Wie funktioniert z. B. ein Staudamm?

🔼 **Parc de l'Orangerie,** Avenue de l'Europe et du Président Edwards, ☎ 616288. Unterhaltungsgelände und Tiergarten.

🔼 **Le Jardin Botanique.** 28, rue Goethe.

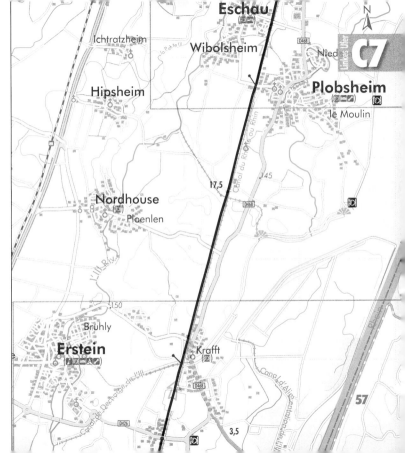

☎ 0390/241865, ÖZ: Mo-Fr 8-18 Uhr, Sa/So 10-18 Uhr. Mehr als 6.000 verschiedene Pflanzen werden auf 3,5 ha Gärten und Treibhäusern präsentiert.

- 🚲 **Cycles Blondin**, 5, rue de la Brigade d'Alsace Larraine, ☎ 362215
- 🚲 **Cycles Charly Grosskost**, 56, rue du Faubourg National, ☎ 221373
- 🚲 **Cycles Charles Suss**, 33, Avenue des Vosges, ☎ 362033
- 🚲 **Espace Peugot**, 22, rue du Faubourg National, ☎ 214343
- **Velocations**, 4, rue du Maire Kuss, ☎ 235675;
- **Velocations**, 10, rue des Bouchers, ☎ 240561

Strasbourg war als „Strateburgum" (Burg an den Straßen) bereits im Mittelalter eine weit bekannte Siedlung und zählte zu den größten Städten im Heiligen Römischen Reich. Als Handel und Handwerk an Bedeutung gewannen, musste es zu Konflikten zwischen dem seit 1003 alleinherrschenden Bischof und dem Bürgertum kommen. Sie wurden ab 1262 in offenen Auseinandersetzungen ausgetragen, die schließlich zur Befreiung der Bürger von der bischöflichen Herrschaft, dem Einfluss des Adels und damit zur Entwicklung einer eigenen

Augebiet bei Strasbourg

Wirtschafts- und Kommunalpolitik führten. Die Straßburger Stadtverfassung stand als erste in Europa auf frühdemokratischen Grundlagen. Damit setzte ab dem 14. Jahrhundert eine sprunghafte Entwicklung ein: Bald wohnten 50.000 Menschen in der Stadt (eine für damalige Verhältnisse beeindruckende Zahl), die zu einem Mittelpunkt der Mystik und des Humanismus wurde. Seit 1523 setzte sich die Reformation in Strasbourg durch.

Die Freie Reichsstadt wurde 1681 Opfer der Eroberungszüge Ludwigs XIV., der sein Reich am Rhein gegen die habsburgische Macht si-

Cronenbourg

Bodersweier

Institutions Européennes

Strasbourg

Querbach

ckbolsheim

Naviscope d'Alsace

St. Pierre le Jeune

Musée Zoologique

St. Thomas   Cathédrale

Terrasse Barrage Vauban

Esplanade

Neumühl

Montagne-Verte

St-Urbain

Kehl

Kork

Elsau

Neudorf

Lingolsheim

Kronenhof   Flugplatz Kehl-Sundheim

Sundheim

Odelshofen

Meinau   le Polygone

Siedlung Bruch

Neuhof

Willstätt

Ostwald

la Colonne

Stockfeld

Zone Portuaire

Eckartsweier

Illkirch-Graffenstaden

eispolsheim Gare

Marlen

La Ganzau

chern wollte. Im Auftrag des „Sonnenkönigs" errichtete Festungsbaumeister Vauban eine sternförmige Zitadelle zur Einschüchterung der Bevölkerung.

Trotz des absolutistisch-französischen Einflusses war Strasbourg im ausgehenden 18. Jahrhundert Studienort und Wirkungsplatz des jungen Goethe und Herder.

Als Folge des Deutsch-Französischen Krieges und der deutschen Eroberung wurde Strasbourg 1871 Hauptstadt des wilhelminischen Reichslandes Elsass-Lothringen. In der Zwischenkriegszeit 1918-1940 gehörte die Stadt wieder zu Frankreich. Nach dem Zweiten Weltkrieg wurde Strasbourg Sitz des Europarats und seit 1958 im

Wechsel mit Brüssel Tagungsort des Europäischen Parlaments. Zwei Institutionen, die seitdem die Identität der Stadt in erster Linie prägen.

Der Kernbereich von Strasbourg wird von mehreren Mündungsarmen des Vogesenflusses Breusch und der Ill umflossen, darüber erhebt sich der mächtige gotische Dom. Der rechteckige Grundriss eines hier errichteten römischen Lagers und einer Siedlung, zeigt heute noch seine Spuren in der Struktur der Altstadt. Illabwärts schließen sich an die mittelalterliche Stadt die Ausbaugebiete der Gründerzeit. Das städtische Wachstum stieg um 1870/80 so rasch an, dass die Stadtfläche fast verdoppelt werden musste. Die Universität im Monumentalbarock der Wilhelminischen Ära erstreckt sich

Strasbourg

Strasbourg

in mehreren Baukomplexen von der Ill bis zum Botanischen Garten. Zum Rhein hin weitet sich das große Binnenhafengelände aus und weist Strasbourg auch als ein bedeutendes Industrie- und Handelszentrum aus.

Bei der Brücke der **Route Alfred Kastler** knickt der Radweg nach links ab ~ rechts unter der Brücke hindurch und entlang der **Rue de Cannes** über den Kanal ~ gleich wieder rechts und in einer 180-Grad Kurve hinunter zum Kanal ~ an der **Pont du Heyritz** endet der Radweg ~ links über die Brücke zum **Quai Louis Pasteur**.

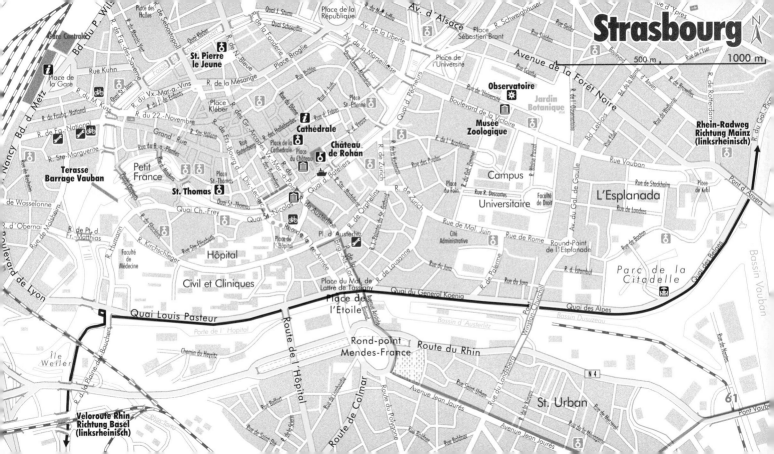

Von Breisach nach Kehl am rechten Ufer 80 km

Die Vogesen nähern sich in diesem Abschnitt allmählich dem Rhein, und das Landschaftsbild wird durch das größte vulkanische „Denkmal" auf der oberrheinischen Tiefebene, den Kaiserstuhl, bereichert. Von den früheren Auwäldern sind einige – wenn auch etwas abgewandelt – erhalten und verleihen der Reise eine neue Note. Auch die Architektur wird vielfältiger: Neben dem zierlichen Fachwerk kommt im früher habsburgischen Breisgau österreichischer Barock und in Kehl und Strasbourg der wilhelminische Klassizismus hinzu.

Veränderungen zum ersten Teilabschnitt am deutschen Ufer treten kaum auf: es geht immer noch hauptsächlich auf fein geschotterten Dammwegen dahin. Für Besuche in Ortschaften muss man sich vom Rheinufer entfernen. Unsere Empfehlungen führen zum Europapark in Rust und nach Offenburg.

Von Breisach nach Rheinhausen   **30,5 km**

Die rechtsufrige Alternative verlässt Breisach auf einem rechtsseitigen Radweg entlang der **Josef-Bueb-Straße**, links erstreckt sich parallel zunächst ein Park bis zum Rheinufer ～ bereits im Gewerbegebiet macht die Straße einen Rechtsbogen, die Radroute knickt links ab in die **Himmelstiege**.

Tipp: Wenn Sie aber dem Winzerstädtchen Burkheim einen Besuch abstatten möchten, dann fahren Sie hier noch geradeaus und an der nächsten Kreuzung dann links weiter.

Über Burkheim im Kaiserstuhl

Nach rund 7 Kilometern haben Sie das reizende Winzerstädtchen erreicht ～ vor dem

Burkheim

Ort geradeaus über eine Kreuzung ～ erst nach einem Wasserlauf links ab ～ unterhalb der Schlossruine von Burkheim zu einer Weggabelung.

Tipp: Rechts geht es ein kurzes Stück bergan zum Marktplatz des schmucken Städtchens.

Burkheim   **(~ km 234)**

Verträumte, Jahrhunderte alte Fachwerkhäuser säumen den Platz, viele beherbergen einen Gasthof oder eine Weinschenke. Das Portal des Rathauses, ein Renaissancebau aus dem Jahre 1604, ziert ein österreichisches Wappen. Für 500 Jahre stand die Stadt unter der Herrschaft der Habsburger.

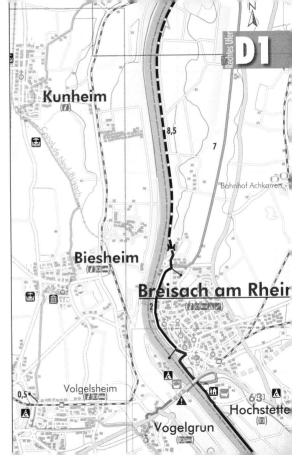

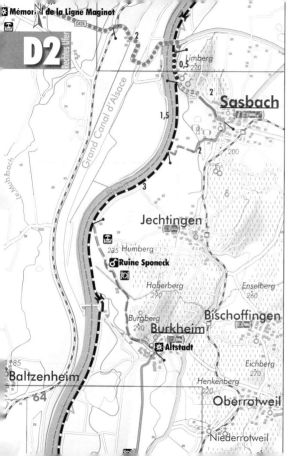

D2

Sasbach

Jechtingen

Humberg 285

6 Ruine Sponeck

Haberberg 250

Enselberg 280

Burgberg 290

Bischoffingen

Burkheim

8 Altstadt

Baltzenheim

185

64

Eichberg 270

Henkenberg 220

Oberrotweil

Niederrotweil

An der Weggabelung unterhalb der Burkheimer **Schlossruine** links ~ nach dem letzten Haus in einen Feldweg.

Nach rund 1,5 Kilometern zu einer Lichtung ~ hier trohnt rechter Hand am Berg die **Ruine Sponeck** mit ihrem unheimlich wirkenden, dachlosen Gemäuer ~ von dieser Lichtung führt ein Weg nach links wieder in den Wald hinein ~ vorüber an einer Schranke bis zum Fluss ~ weiter geht's am Damm stromabwärts zur Hauptroute zurück.

Auf der Hauptroute links der **Kläranlage** durch den Wald zum Rheinufer ~ rechts halten und schließlich auf den Deich hinauf.

Tipp: Bei Rheinkilometer 238 führt rechts eine beschilderte Variante ins sehenswerte **Sasbach am Kaiserstuhl.**

Sasbach   (km 240, ehemaliger Schiffsanleger)
✳ Wissenschaftlicher Lehrpfad über Limberg und Lützelberg. Beginnt am großen Parkplatz am Rhein (ehemalige Zollstelle).

Sasbach

Auf einer Länge von 6,2 km erschließt der Lehrpfad die Besonderheiten von Geologie, Geschichte, Naturschutz, Forstwirtschaft, Weinbau und Wasserwirtschaft.

Auf dem Radweg neben der Hauptstraße (L 117) wieder zurück zum Rhein.

An der ehemaligen **Schiffsanlegestelle** von Sasbach mündet die ufernahe Hauptroute auf die Straße zwischen Marckolsheim und dem Weinort Sasbach.

Tipp: Hier können Sie Boote mieten, um zur Abwechslung den Rhein nicht nur zu begleiten, sondern ihn direkt zu befahren.

Wenn Sie auf der Straße bleiben, gelangen Sie über die Staustufe hinweg nach **Marckolsheim** zur linksufrigen Variante auf französischer Seite (siehe Karte 13).

Am rechten Ufer bleibend links unterhalb der Brücke hindurch auf dem geschotterten Dammweg ∿ rechter Hand taucht bei Rheinkilometer 244 eine riesige **Schottergrube** auf.

Tipp: Bei Einmündung der Straße von Wyhl können Sie auch rechts einen beschilderten Ausflug durch den **Rheinwald** wagen.

Ansonsten weiter auf dem gut ausgebauten Dammweg Richtung **Staustufe Rhinau**.

Tipp: Links über das Wehr können Sie entlang des **Grand Canal d'Alsace** rund 10 Kilometer zur **Staustufe Rheinau** bei **Diebolsheim** radeln. Von dort dann entweder direkt zur linksrheinischen Variante nach **Bindernheim** (Karte 15) oder weiter bis **Rhinau**, von wo aus Anschluss an beide Routen besteht.

Staustufe Rheinau

🏛 Kraftwerksbesichtigung Staustufe Rheinau tägl. 9-18 Uhr

Unweit der **Staustufe Rhinau** (~Rheinkilometer 249) (bzw. aus dem Rheinwald kommend) rechts auf die Straße nach **Weisweil** ∿ der Wegweisung des Rheintal-Radwanderweges folgend am Ortsrand links und entlang des Mühlbaches ∿ nächste Möglichkeit wieder halblinks weg (**Köpfle**) ∿ kurvig am Waldrand,

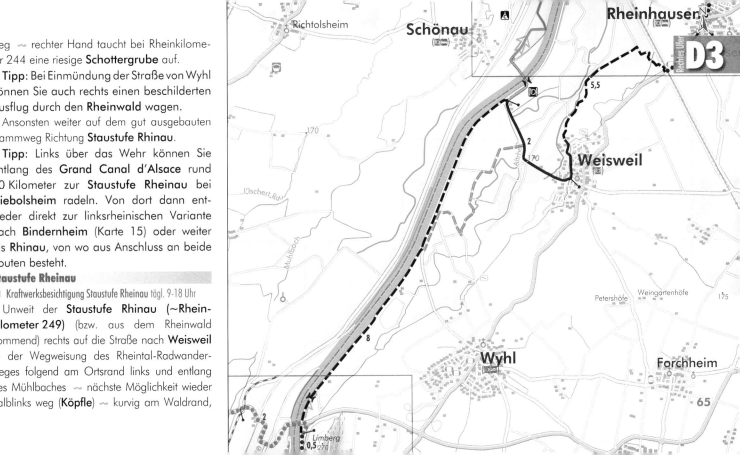

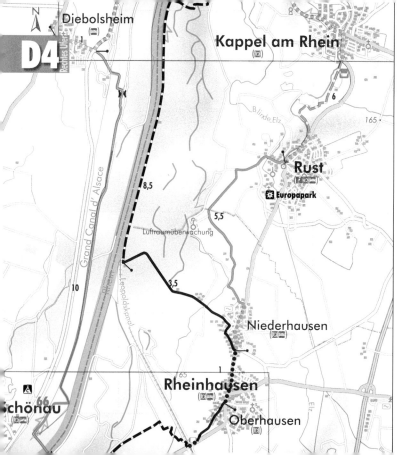

dann geradewegs in den Wald hinein ~ am Ende rechts ab bis zur Landstraße.

Nach links auf der **L 104** den Leopoldskanal queren ~ 200 Meter später halblinks weg.
Rheinhausen im Breisgau (~km 252)

Von Rheinhausen nach Kehl 49,5 km

Im Ortsteil **Oberhausen** angekommen vor den Gasthäusern links ~ weiter nach Niederhausen.

Niederhausen   (~km 254)

Tipp: Die Hauptroute führt Sie links wieder zum Rheinufer. Wenn Sie aber einen Besuch im Freizeitpark in Rust machen möchten, dann folgen Sie bitte der orangefarbenen Alternativroute (i. d. R. beschildert als Rheintal-Radwanderweg).

Zum Freizeitpark in Rust   12,5 km

Bei der letzten Quergasse in **Niederhausen** links ab zum Klärwerk ~ nach 200 Metern rechts weiter ~ darauf folgt ein deutlicher Knick der Straße nach rechts ~ links zweigt ein kleiner Weg ab ~ hier jedoch weiterhin geradeaus ~ erst bei der darauf folgenden Weggabelung links halten ~ nach einer großen Parabolantenne wendet sich der Weg nach rechts ~ vorüber an einer weiteren Funkstelle an eine Querstraße ~ hier nach rechts.

Sie nähern sich nun allmählich der Ortschaft Rust. Eigenartige, fantastisch anmutende Gebäude tauchen auf. Sie haben mit den Sendeanlagen, die Sie vorhin gesehen haben, nichts zu tun. Vielmehr handelt es sich hierbei um den riesigen Vergnügungspark von Rust, genannt *Europapark*, der – Disneyland ähnlich – bunte Unterhaltung verheißt.

Bei einem Wegkreuz wieder auf eine Straße ~ hier rechts halten ~ ab der nächsten Kreuzung etwas links versetzt zwischen Campingplatz und Europapark weiter ~ dieser Straße zur Hauptstraße folgen und dann links.

Rust
PLZ: D-77977; Vorwahl: 07822

- **Taubergießen-Fahrten**. Bootsfahrten durch das Naturschutzgebiet unter orts- und naturkundlicher Führung: Franz Koch, Sändleweg 16, ☎ 61332 od. 61878; Hermann Hilß, Ortsteil Kappel-Grafenhausen, Löwenstr. 18, ☎ 61524
- **Europa-Park**, ☎ 776677, ÖZ: 22. März-2. Nov. 9-18 Uhr, in der Hauptsaison länger geöffnet. Einer der größten Freizeitparks in Europa mit einem vielseitigen und abwechslungsreichen Angebot für die ganze Familie.

Am Ortsende links in einen Feldweg ~ dieser Weg wendet sich nach kurzer Fahrt nach rechts ~ einige Schotterteiche umrunden ~ weiter in die nächste Ortschaft, **Kappel-Grafenhausen** ~ bereits wieder auf Asphalt an einem Badesee vorüber ~ der Weg mündet vor dem Ort in die Landstraße ~ in der Ortsmitte links auf die Straße zur Rheinfähre Rhinau ~ bald darauf verzweigt sich der Weg ~ der rechten Straße zum Rhein folgen.

Niederhausen   (~km 254)

Für die Hauptroute bei den ersten Häusern links ~ nach rund 400 Metern an der Querstraße rechts ~ nach weiteren rund 250 Metern wieder links aus der Ortschaft hinaus.

Die kleine Straße führt wieder zum Rhein hinüber ~ nach etwa 5 Kilometern Fahrt am Rheinufer führt der Weg ein Stück hinter **Rheinkilometer 258** nach rechts vom Ufer weg ~ nach dem Damm links ~ vor

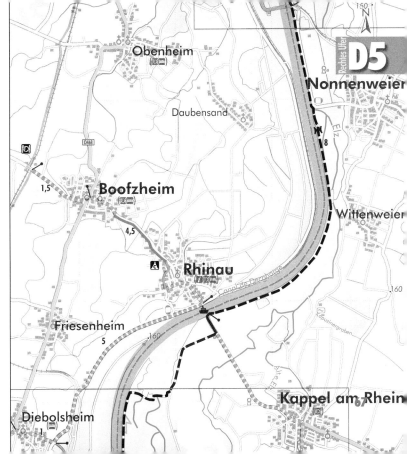

zur **L 103** und hier nach links ⤳ knapp vor der Fährstation zweigt ein Weg nach rechts ab, der auf den Damm hinaufführt.

Tipp: Dank der Fähre können Sie abermals zum französischen Ufer nach **Rhinau** und via **Boofzheim** zur dortigen Veloroute Rhin wechseln. **Rheinfähre Kappel–Rhinau**, Betriebszeiten: April-Juni u. Sept.-Okt. Mo-Fr 5.35-21 Uhr, Sa/So/Fei (in D oder F) 6.35-22 Uhr; Juli-Aug. Mo-Fr 5.35-22 Uhr, Sa/So/Fei (in D oder F) 6.35-22 Uhr; Nov.-März Mo-Fr 5.35-19 Uhr, Sa/So/Fei (in D oder F) 7.05-19 Uhr.

Stromabwärts geht die Route auf dem unbefestigten Dammweg weiter ⤳ fast 8 Kilometer können Sie ohne Unterbrechung zurücklegen.

Tipp: Auf der querenden Asphaltstraße am alten **Zollhaus** kommen Sie links zur **Staustufe Gerstheim** und ans französische Ufer. Bei **Krafft** münden Sie dann auf die Veloroute-Rhin links des Rhein-Rhône-Kanals (siehe Karte 16).

Der Dammweg ist nach diesem Abzweig asphaltiert ⤳ beim **Wehr** nach **Rheinkilometer 270** teilweise holprig einen Zufluss umfahren ⤳ der nun wieder öffentliche Weg knickt wenig später rechts ab und quert den Deich in Richtung Ottenheim.

Tipp: Wenn Sie die von Kiestransportern zerfahrene Hauptroute am Deich umgehen oder einen Abstecher nach **Schwanau** unternehmen möchten, können Sie hier geradeaus weiter radeln. Im weiten Linksbogen geht es – nicht ganz unbelästigt vom Werksverkehr der **Kiesgruben** – wieder zum Ufer zurück; scharf rechts zweigt unterwegs ein Radweg nach **Ottenheim** ab.

Schwanau-Ottenheim (~km 271)

🛈 Bürgermeisteramt, Kirchstr. 16, ☎ 64990, www.schwanau.de

Die offizielle Route führt auf der Höhe von Ottenheim holprig auf der östlichen Seite des Deiches entlang ⤳ ab der **Verladestelle** hinter der Schranke dann wieder autofrei auf dem Dammweg rund 3,5 Kilometer gemütlich dahin ⤳ vor einer erneuten **Schotterverladestelle (Rheinkilometer 276)** rechts vom Damm hinunter ⤳ an der Rohrleitung zweigt die Route links ab ⤳ holprig durch das Kieswerkgelände

(⚠ Werkverkehr!) ～ ein Stück unterhalb des Dammes entlang bis an eine asphaltierte Querstraße.

Tipp: Hier am Rastplatz zweigt der Ausflug nach Offenburg ab. Noch vor Kehl, südlich der Ortschaft Goldscheuer, treffen die Hauptroute am Ufer und die Ausflugsroute über Offenburg wieder zusammen.

Ausflug
nach Offenburg   30 km

Offenburg – das Tor zum Schwarzwald – ist eine wichtige Station an der Badischen Weinstraße. Eine attraktive Fußgängerzone, historische Gebäude in der Altstadt laden ebenso zum Verweilen ein wie gemütliche Parks und Plätze und ein sehenswertes jüdisches Bad.

Zunächst führt die breite, aber nur wenig befahrene Straße schnurgerade vom Ufer weg und „durchbricht" den zweiten Hochwasserdamm ～ an einem kleinen Badesee mit Buffet vorüber ～ wahlweise auf dem Radweg oder der Straße nach Ichenheim.

Ichenheim

Im Ort links in die **Kreuz-Straße** ～ über die Bundesstraße hinweg ～ kurz nach links versetzt geradeaus durch die Tabakfelder ～ an der Querstraße links auf den Radweg ～ dieser kleinen Landstraße durch **Dundenheim** folgen ～ kurvig hinüber nach **Höfen** und in den größeren Ort.

Schutterwald

An der Kirche rechts auf die **Offenburger Straße** ～ nach Ortsende die Autobahn überqueren.

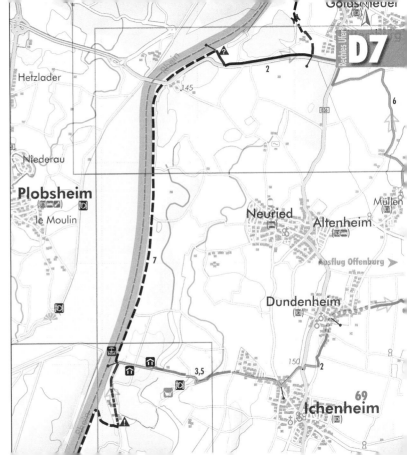

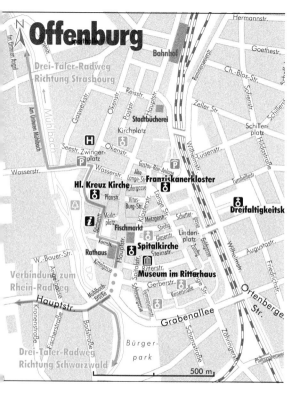

Offenburg

Drei-Täler-Radweg
Richtung Strasbourg

Bahnhof

Stadtbücherei

Hl. Kreuz Kirche

Franziskanerkloster

Dreifaltigkeitsk

Fischmarkt

Rathaus

Spitalkirche

Museum im Ritterhaus

Verbindung zum
Rhein-Radweg

Hauptstr.

Bürger-
park

Drei-Täler-Radweg
Richtung Schwarzwald

500 m

Geradewegs auf die Stadt zu ∼ ein Radweg bringt Sie sicher an Ihr Ziel ∼ hinter dem Wohngebiet **Albersbösch** unter einer Autostraße hindurch ∼ auf der Hauptstraße die Kinzig queren ∼ auf dem Radweg am Verlagshaus Burda vorüber Richtung Innenstadt ∼ nach der Mühlbachbrücke zur Fußgängerzone von Offenburg.

Offenburg

PLZ: D-77652-77656; Vorwahl: 0781

🛈 **Stadtinformation im Bürgerbüro**, Fischmarkt 2, ☎ 822000, www.offenburg.de

🏛 **Museum im Ritterhaus**, Ritterstr. 10, ☎ 82257, ÖZ: Di-So 10-17 Uhr. Dokumentiert die Geschichte der Stadt anhand mehrerer Sammlungen, wie z. B. Erdgeschichte, Archäologie oder Kunst.

⚐ **Franziskanerkloster**, Lange Straße, Sitz der Augustinerinnen. In der Klosterkirche befindet sich eine Silbermannorgel.

✷ **Rathaus**. Im 18. Jh. entstanden mit Stadtwappen und österr. Doppeladler, was bezeugt, dass die Stadt einige Zeit lang zu Österreich gehörte. Es beherbergt ein Glockenspiel, das tgl. um 11.50 u. 17.50 Uhr zu hören ist.

✷ **Jüdisches Bad (Mikwe)**, zwischen Glaserstraße und Steinstraße. Dieses Bad nimmt mit seinen Stilelementen unter den jüdischen

Zentrum Offenburg mit Neptunbrunnen

Bädern im Rheingebiet eine Sonderstellung ein. ☎ 824341.

✷ **Fischmarkt**. Malerischer Platz im Stadtzentrum mit Hirschapotheke (1698), Löwenbrunnen (1599) und Salzhaus (1786).

✷ **Spitalspeicher** des St. Andreas Hospitals, Spitalstr. Stammt aus dem 18. Jh. und wird für Ausstellungen und Veranstaltungen benutzt.

⚐ **Zwingerpark**. Zwischen Wasserstr. und Hauptstr. Der Park mit imposantem Baumbestand, gärtnerischen Anlagen und Teichen mit Wasservögeln wurde 1899 angelegt.

Zurück zum Rhein zunächst auf demselben Weg, den Sie gekommen sind, nach **Schutterwald** ∼ hier nun an der Kirche weiter geradeaus (**Hauptstraße**) ∼ am Ende nach

Kittersburg

Hohnhurst

Weier

Bühl

Waltersweier

Rammersweier

Offenburg

Langhurst

Fischmarkt

Albersbösch

Käfersber

Neuried

Altenheim

Müllen

3,5

Schutterwald

Hildboltsweier

Uffhofen

Or

Dundenheim

4,5

Höfen

Schwatterloch

Elgersweier

150

Dundenheimer Mühle

Königswaldsee

3,5

2

Ichenheim

Hofweier

Zunsweier

145

7

2

6

6

B36

B33a

B3

71

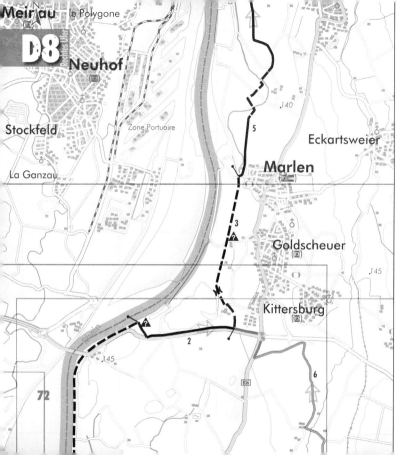

der Rechtskurve die Kreisstraße queren ∼ erst dahinter links in die Nebenfahrbahn, später paralleler Radweg an der K 5530 ∼ 2 Kilometer nach Ende von Schutterwald die Straße noch vor der Schutter nach rechts verlassen ∼ in Kurven durch Heiden und Wiesen ∼ an der Kreuzung nach 1,5 Kilometern – geradeaus liegt **Müllen** – rechts ∼ am **Modellflugplatz** links ∼ unweit der **Rohrburger Mühle** vor dem Bauernhof rechts ∼ kurvenreich zur nächsten Querstraße (geradeaus liegt **Kittersburg** hinter der Landstraße) ∼ links ab ∼ noch an der Straße vorbei bis zur querenden Bundesstraße ∼ rechts ab und an der **B 36** entlang.

Am **Kreisverkehr** (⚠) links auf den straßenparallelen Radweg Richtung Frankreich ∼ im Wald vor dem Mühlbach rechts ∼ nun sind Sie wieder auf der Hauptstrecke der Veloroute Rhein.

Für die Hauptroute ohne Ausflug nach Offenburg vom **Rastplatz bei Rheinkilometer 277** immer weiter geschottert direkt am Rheinufer entlang ∼ mit Blick über den Rhein und die dahinter gelegene, riesige Wasserfläche des Ausgleichsbeckens (Bassin de compensation) von Plobsheim bis Sie etwa bei **Rheinkilometer 283** die neue **Autostraßenbrücke** unterqueren.

Vorbei am großen Kieswerk rechter Hand bis zum **Wehr**, das erneut das meiste Wasser vom Rhein für den Grand Canal d'Alsace abzweigt.

⚠ Hier – trotz widersprüchlicher Beschilderung – rechts über den Parkplatz zur Schnellstraße ∼ links auf den begleitenden Radweg am Damm ∼ nach etwas mehr als 2 Kilometern links ∼ der Waldweg verläuft entlang des **Mühlbaches** ⌇ nach 500 Metern das Ufer nach links wechseln ⌇ zum Hochwasserdamm, der bis zur nächsten Querstraße beiderseits befahrbar ist.

Goldscheuer

⚠ **Tipp:** Trotz „vielsagender", letztlich aber eher verwirrender Wegweisung, einfach immer geradeaus am Damm und Graben bleiben; am einfachsten jetzt schon unten rechts des Dammes entlangradeln.

Bei der Gabelung am Ortsrand von **Marlen** weiter geradeaus (**Rheinweidweg**), während sich der Deich halblinks entfernt ⌇ kurvig bald auf Schotter weiter geradeaus ⌇ nach Querung eines weiteren kleinen Dammes im Linksbogen weiter am Waldrand entlang Richtung Kehl ⌇ vor den Kleingärten rechtsherum ⌇ im Kehler Stadtteil **Kronenhof** links zum Rheindeich zurück ⌇ davor rechts am Ortsrand entlang ⌇ Campingplatz, Bad und Jugendherberge von Kehl reihen sich aneinander ⌇ auf der breiten **Rheinpromenade** durchqueren Sie die Kehler Hälfte des „Gartens der zwei Ufer" (Gelände der Landesgartenschau 2004).

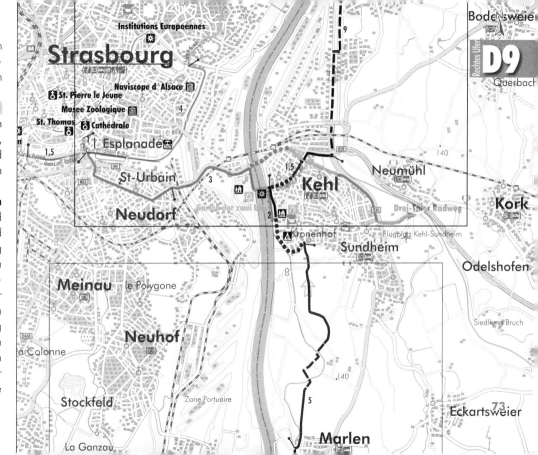

Strasbourg

Tipp: Wenn Sie sich anschließend links halten, erreichen Sie die neue Rheinbrücke für Radler und Fußgänger (**Passerelle des Deux Rives**), deren breiterer Teil Ihnen den Überweg nach Strasbourg ermöglicht.

Für die Weiterfahrt ins Stadtzentrum, der deutschen Veloroute Rhein rechts in die **Groß-herzog-Friedrich-Straße** folgen ~ anschlie-ßend links in die **Jahnstraße** ~ rechts in die **Marktstraße** und geradeaus zum **Marktplatz**.

Kehl ~**km 293**

PLZ: D-77694; Vorwahl: 07851

🅱 **Tourist-Information Kehl**, Kiosk am Marktplatz, ☎ 88226, www.kehl.de

🏛 **Hanauer Museum**, Friedhofstr. 5, ☎ 78783, ÖZ: n. V. Schwer-punkte sind Stadtgeschichte, Ur- und Frühgeschichte, Trachten, Hanfanbau sowie Brauchtum.

🏛 **Handwerksmuseum**, Kehl-Kork, Alte Essigfabrik, ☎ 3357 od. 1829, ÖZ: So 14-17 Uhr u. n. V.

🅰 Der **Garten der zwei Ufer** entstand im Rahmen der grenzüber-greifenden Landesgartenschau 2004 beiderseits des Rheins. Auf deutschem Ufer erstreckt sich die **Rheinpromenade** von den neuen **Rheinterrassen** an der restaurierten **Villa Schmidt** im Norden bis hinunter zum Schwimmbad. Am Altrhein bietet im Süden der majestätische **Weißtannenturm** Überblick, auch über den hier gelegenen **Garten der Sinne**. Im Norden, unweit des **Rosengartens**, liegt die große hölzerne **Seebühne**. Auf franzö-sischer Seite umschließt eine spektakuläre, begehbare **Wasser-wand** die zentrale Achse halbkreisförmig zu beiden Seiten.

✴ Ein sehr praktisches Stück moderner Architektur ist die neue Brücke **Passerelle des Deux Rives**, ebenfalls Teil des Gartens der zwei Ufer. Die flache, breitere ihrer beiden Spuren erlaubt das Hinüberradeln; der steile Bogen hinauf zur Aussichtsplattform bleibt hingegen Fußgängern vorbehalten.

✉ **Freibad Kehl**, Ludwig-Trick-Str., ☎ 71426 (Mitte Mai-Sept.)

Tipp: Von Kehl aus lohnt sich – egal auf welchem Ufer Sie Ihre Reise danach fort-setzen möchten – ein Ausflug nach Stras-

bourg, der in Folge kurz beschrieben ist.

Nach Strasbourg *5,5 km*

Im Strasbourger Teil des **Gartens der zwei Ufer** rechts halten ~ entlang der von der Europabrücke kommenden **N 4** bzw. **E 52** ziehen sich leider nur schmale Radwege wechselseitig entlang ~ auf diesen linksher-um über Hafengelände und Bahnanlagen hinweg ~ hinter der Brücke **Pont Vauban** halblinks ~ durch's Stadtviertel **St. Urban** immer der Hauptstraße im weiten Rechtsbo-gen folgen ~ rechts am riesigen Kreisver-kehr des **Place de l'Etoile** vorbei und über den recht schmalen Kanal.

Geradeaus kommen Sie zur Altstadt, rechts verläuft die Veloroute Rhin entlang des **Quai du Géneral Koenig** weiter gen Norden.

Strasbourg s. S. 54

Von Strasbourg nach Karlsruhe am linken Ufer   81,5 km

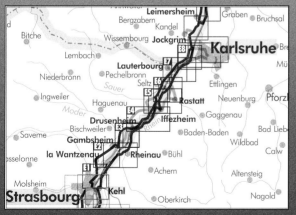

In diesem Abschnitt ist man auf Entdeckungsfahrt in kleinen Dörfern mit typischer Hausform, die ehemals von Fischern und Schiffsleuten bewohnt waren. In Gambsheim trifft man auf die große Schleuse, die den Radler, wie auch später am Ende des Rheinkanals in Beinheim, den Ufern des Rheins nahebringt. Etwas abseits der Route liegt Sessenheim, welches durch Goethe bekannt wurde. Auf dem Damm, vorüber an Rheinauwäldern und Naturschutzgebieten wie in Munchhausen, erreicht man Lauterbourg, die letzte Station der französischen Veloroute Rhin.

Die Route am linken, französischen Ufer verläuft fast ausschließlich auf asphaltierten Wegen und Landstraßen. Zirka 25 Kilometer legen Sie auf verkehrsreicheren Straßen zurück, die restliche Wegstrecke auf autofreien Wegen oder ruhigen Nebenstraßen.

Von Strasbourg zur Rheinfähre
Drusenheim   29,5 km

Am **Quai du Géneral Koenig** rechts auf den Radweg ⤳ immer am Kanal entlang bis zur **Pont de la Porte-du-Canal** ⤳ rechts über die Brücke ⤳ geradeaus auf den Radweg entlang des **Chemin Goeb** ⤳ dem Verlauf des Radweges folgen ⤳ bei der **Rue de la Bréme** die Straßenseite wechseln ⤳ am kleinen Kreisverkehr rechts in die **Rue Mélanie** zum Château de Pourtalès Robertsau.

la Robertsau   (~km 296)

Rechts in den Wald **Bois de la Robertsau** ⤳ am Rastplatz halblinks auf den erhöht verlaufenden Dammweg ⤳ erst am Ende des Waldes vor den Häusern von **Waldhof** halbrechts weiter auf dem Damm ⤳ am nächsten Waldrand links ab nach la Wantzenau.

Auf der Hauptroute an der Querstraße **D 223** am Ende in den Ort hinein.

la Wantzenau   (~km 302)
PLZ: F-67610; Vorwahl: 0033(0)388

🔧 Fahrradwerkstatt Garage Clauss, ☎ 962037

Der Hauptstraße (**D 223**) durch das Städtchen folgen ⤳ rechts auf die größere **D 468** und auf deren Radspur (⚠ Vorsicht in den Kreisverkehren!) nach Kilstett hinüber.

Kilstett   (~km 306)

Weiter auf der Radspur der **D 468** ⤳ auch durch Gambsheim geradewegs hindurch.

Gambsheim   (~km 309)
PLZ: F-67760; Vorwahl: 0033(0)388

ℹ Pavillon du Tourisme; Ecluse du Rhin, ☎ 964408

✳ Staustufe mit Besucherzentrum, ☎ 964408, ÖZ: Mitte Mai-Okt., Mo, Mi-So 10-18 Uhr, Nov.-Mitte Mai Sa-So 10-12 Uhr und 14-17 Uhr. Neben einer der größten Fischtreppen Europas befindet sich hier ein unter Wasserniveau liegendes Besucherzentrum. Dieses beherbergt eine Ausstellung zur Fischtreppe, ein Großaquarium, sowie eine Beobachtungsmöglichkeit durchziehender Fische durch Glasscheiben.

🔧 **Fahrradwerkstatt B. Feldis**, ☎ 964110

Am Kreisverkehr an der kleinen Kapelle rechts ∼ auf der **D 94** das Bächlein Giessen und den Muehlrhein queren ∼ am großen Kreisverkehr (⚠) die **D 2** geradewegs queren ∼ kurvig durch das Kieswerk bis in den Ort.

Offendorf (∼km 312)
PLZ: F-67850; Vorwahl: 0033(0)388

🏛 **Museumsschute „Cabro"**, Muehlrhein, ☎ 967492, ÖZ: Mai-Sept. Mi-So 14-19 Uhr. Auf der renovierten Freycinet-Schute Cabro zeigt eine Ausstellung die Geschichte der Binnenschiffer in Offendorf, dem größten Binnenschifferort Ostfrankreichs. Hier sehen Sie auch die Schifffahrtsutensilien vor den Häusern.

Vor der Kirche kurz rechts ∼ links weiter auf der **D 29** ∼ der **D 29**

durch den Ortsteil **Cité Sud** und über die Bahn hinweg folgen.

Herrlisheim
PLZ: F-67850; Vorwahl: 0033(0)388

🔧 **Fahrradwerkstatt Cyclo-Jet**, ☎ 967898

An der **D 468** rechts und immer auf deren Radweg bzw. Radspur nach Drusenheim ∼ im Ort rechts auf die querende **D 429** Richtung Rheinfähre.

Drusenheim ∼km 318
PLZ: F-67410; Vorwahl: 0033(0)388

⛴ **Rheinfähre Drusenheim-Greffern:** März-Sept. Mo-Fr 6-20 Uhr, Sa/So/Fei 6.30-22 Uhr; Okt.-Feb. Mo-Fr 6-20 Uhr, Sa/So/Fei 7-20 Uhr

🔧 **Fahrradwerkstatt Cycles Klingler et Cie**, ☎ 533078

Tipp: Ab hier führt eine Alternativroute durch die Orte Sessenheim und Roeschwoog. Sie müssen hier zwar mit mehr Verkehr rechnen, allerdings finden Sie eine gute touristische Infrastruktur vor. In der Karte E4 / E5 ist diese Route orange dargestellt.

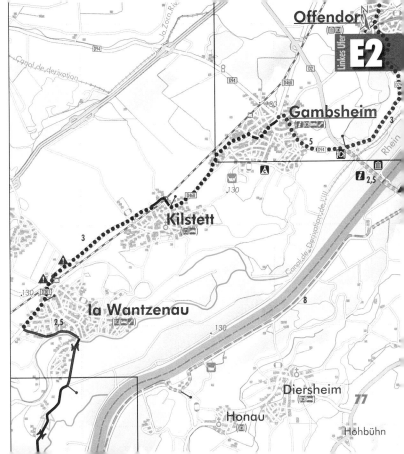

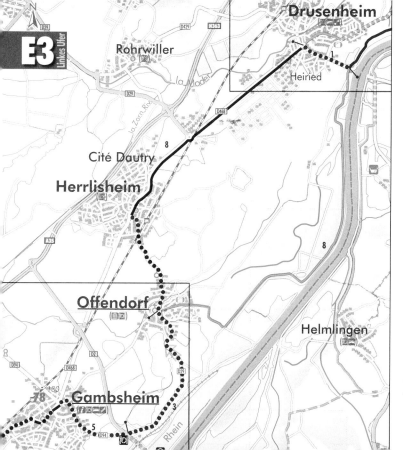

Von der Fähre Drusenheim nach Karlsruhe-Maximiliansau   52 km

Bei der **Rheinfähre Drusenheim** links in den für den öffentlichen Verkehr gesperrten Weg.

Tipp: Trotz des Fahrverbots müssen Sie auch hier mit Autoverkehr rechnen.

Wenn Sie möchten, können Sie nach dem **Port de Dalhunden** auf den unbefestigten Dammweg wechseln ⌇ ⚠ spätestens nach rund 14 Kilometern wieder auf den befestigten Weg wechseln, da man bei der Weggabelung links über die Brücke abzweigen muss, um nicht in einer Sackgasse zu enden ⌇ bei der Abzweigung mit Ortsschild **Neuhaeusel** geradeaus.

Staustufe Iffezheim   ~km 334

Die Staustufe Iffezheim ist, neben Gambsheim und einem geplanten weiteren Standort bei

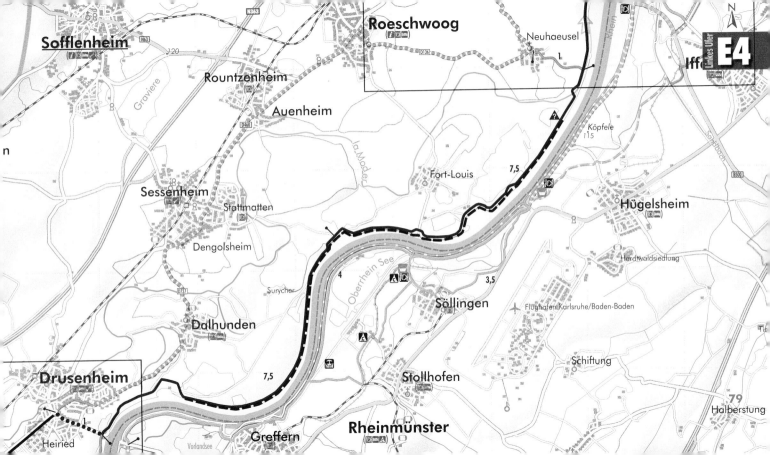

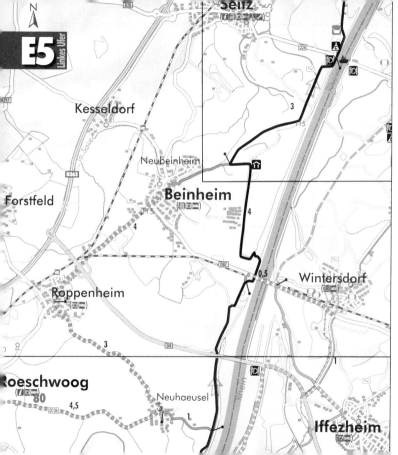

Neuburgweier, Teil eines Ausbauprogramms, welches vor allem die fortschreitende Eintiefung der Flusssohle aufhalten soll. Durch die Errichtung der Staustufen zwischen Basel und Strasbourg wurde die natürliche Geschiebeführung des Rheins fast vollständig unterbunden. Das führte dazu, dass die Tiefenerosion des Flusses unmittelbar ab Strasbourg in starkem Maße einsetzte und in relativ kurzer Zeit eine erhebliche Vertiefung des Rheinbettes eintrat. Als Lösung blieb nur die künstliche Geschiebezugabe von zirka 300.000 Kubikmeter Kies pro Jahr, um damit die Erosion des Rheins auszugleichen, oder der Bau einer weiteren Staustufe. Die ökologisch ungünstigen Folgewirkungen eines Kraftwerks bzw. einer Staustufe sind jedoch erheblich. So sind durch den bereits erfolgten Bau bei Gambsheim und Iffezheim umfangreiche Flächen, die ursprünglich der Rückhaltung von Hochwasser dienten, durch Dämme vom Fluss abgeschnitten worden. Ihr Wegfall erhöht die Hochwasserspitzen des Rheins. Desweiteren dichten die Schwebstoffe des Rheinwassers aufgrund des ständigen Überdrucks im Staubecken das Flussbett ab, wodurch die Verbindung zwischen Rhein und Grundwasser unterbrochen und die Produktivität der Auen beeinträchtigt wird.

Nach Unterquerung der **Rheinbrücke an der Staustufe Iffezheim** rechts auf das asphaltierte Strässchen ～ vor dem Wald rechts ～ direkt wieder nach links am Hafen vorüber ～ rechts unten zum Rheinufer hin.

Tipp: Geradeaus und an der Straße rechts können Sie über

die Brücke nach Deutschland radeln und z. B. von **Wintersdorf** aus einen Ausflug zur **Barockresidenz Rastatt** unternehmen (s. S. 92). Bitte beachten Sie auch, dass die Rheinfähre Seltz–Plitterdorf für unbestimmte Zeit eingestellt wurde und dies die letzte Möglichkeit bis Neuburg ist, den Rhein zu queren.

Unter der Straßen- und Bahnbrücke hindurch ～ weiter auf dem befestigten Radweg ～ die Route führt weg vom Ufer ～ links auf den asphaltierten Radweg, der parallel des geschotterten Weges für Autos um den Baggersee herumführt ～ hinter der Fabrik an der Schutzhütte links halten, weiter auf dem Damm ～ an einem

querenden Deich – geradeaus geht der Weg nach **Beinheim** – scharf rechts Richtung Seltz ～ in Folge rechts halten und am Damm bleiben ～ wieder in Ufernähe hinter der **Kläranlage** rechts vom Damm hinunter.

Tipp: Die Rheinfähre Seltz–Plittersdorf ist für unbestimmte Zeit außer Betrieb.

Seltz (~km 340, Fähre)

PLZ: F-67470; Vorwahl: 0033(0)388

- 🛈 **Office de Tourisme**, Place de la Gare, ✆ 055979, www.ville-seltz.fr
- 🚲 **Fahrradwerkstatt P. Wurtz**, 3, rue Marcel Bisch, ✆ 868857
- 🚲 **Fahrradwerkstatt P. Wurtz**, 3, rue Marcel Bisch, ✆ 868857
- 🚲 **Cycles Rehm**, 3, rue de louvain, ✆ 610324
- 🚲 **Blonine**, 5, rue de la brigade d'Alsace lorraine, ✆ 362215
- 🚲 **Espace cycles**, 17, rue de la brigade d'Alsace lorraine, ✆ 353381

Der Radweg führt geradeaus weiter am Campingplatz vorbei ～ durch das Gelände des Kieswerks ～ hinter der **Vogelwarte** am Ende des Sees rechts auf dem asphaltierten Radweg am Damm halten ～ über das Flüsschen Sauer, das hier ein sehenswertes Delta bildet, hinüber nach Munchhausen.

Munchhausen ~km 344

Gleich nach der Brücke rechts auf den Radweg, der am Dorf vorbeiführt ⏤ der Radweg endet vor einem Seitenarm des Rheins ⏤ weiter auf der verkehrsberuhigten Straße um den Arm herum ⏤ geradeaus am Abzweig nach Mothern (D 89) vorbei in den Auwald.

Mothern (~km 346)

PLZ: F-67470; Vorwahl: 0033(0)388

🛈 Office de Tourisme, 7, rue de Kabach, ✆ 948667

Schon im Gefahrenbereich des Chemiewerkes Lauterbourg macht der Radweg vor einem neuerlichen Baggersee einen scharfen Linksschwenk ⏤ weiter am Ufer an den Verladekränen vorbei ⏤ an den Bahngleisen rechts auf die Straße zum **Chemiewerk** ⏤ an der T-Kreuzung am Werksgelände rechts über die Bahngleise zum Rhein ⚠ Vorsicht Schwerlastverkehr!

Tipp: Bei der Stoppstraße **D 3** biegen Sie links ab, wenn Sie dem letzten französischen Städtchen, einen Besuch abstatten möchten. Andernfalls setzt sich die Route hier rechts fort.

Lauterbourg (~km 350)

PLZ: F-67250; Vorwahl: 0388

🛈 Office de Tourisme du Canton Lauterbourg, Hôtel de Ville, ✆ 946610, www.lauterbourg.net

Hinter der Gaststätte schließlich wieder hinauf auf den Damm ⏤ ein Stück nach dem kleinen Rastplatz macht dieser einen kurzen Schwenk nach links vom Ufer weg ⏤ wo die Alte Lauter in den Rhein mündet einen Steg queren.

*Dieser Steg bildet die „**Grenzstelle**" zwischen Frankreich und Deutschland. Die Grenzlinie verläuft landeinwärts direkt in der Flussmitte der Alten Lauter.*

Nach dem Steg ist für 400 Meter bis zur Landstraße der Weg unbefestigt ～ geradeaus auf der Straße **L 545** Richtung Neuburg.

Tipp: Vor der Brücke über die Neue Lauter geht es rechts zur Fähre nach Neuburgweier. ⚠ Am anderen Ufer trotz verwirrender Beschilderung am besten erst am Rheindamm links auf den Schotterweg. **Rheinfähre Neuburg–Neuburgweier**, ☎ 07273/3592, Betriebszeiten: Mai-Sept. Mo-Fr 6-20 Uhr, Sa 7-20 Uhr, So/Fei 9-20 Uhr; April u. Okt. Mo-Fr 6-19.30 Uhr, Sa 7-19.30 Uhr, So/Fei 9-19.30 Uhr; Nov.-März Mo-Fr 6-18.45 Uhr, Sa 7-18.45 Uhr, So/Fei 10-18 Uhr

Gleich hinter der Brücke vor Neuburg rechts zum Damm hinauf.

Tipp: Oder Sie radeln weiter in die Dorfmitte zum Schiffermast am Rathaus, wo das neu gestaltete **Rheinaue-Museum Neuburg** besucht werden kann.

Neuburg am Rhein   ~km 354

🏛 Schifffahrtsmuseum   „Lautermuschel"
   (direkt am Radweg), ÖZ: nur 1. So im Monat

Danach am Radwanderweg Rheinaue bleiben und dessen Schildern Richtung Wörth folgen

~ rund 800 Meter nach der Lautermuschel entfernt sich der Fahrweg vom Rhein ~ abermals quer durch ein Kieswerk ~ kurvenreich schlängelt sich der Fahrweg entlang des Rheindammes Maximiliansau entgegen.

Maximiliansau ~km 362

Hier wieder an den Rhein ~ auf dem schmalen Treppelweg unter Eisenbahn und Bundesstraße hindurch.

Tipp: Linksherum und zurück auf die Rheinbrücke kommen Sie hinüber nach Karlsruhe.

Über Knielingen zum Karlsruher Schloss 9 km

Auf dem gemeinsamen Geh- und Radweg neben der **B 10** über den Rhein ~ im Ortsteil

Bei Munchhausen

Knielingen wechselt der Rad- und Fußweg die Straßenseite ~ 300 Meter danach links in die **Eggensteiner Straße** ~ beim Friedhof rechts in die **Reinmuthstraße** ~ bei der Heilig-Kreuz-Kirche beginnt wieder ein Rad- und Fußweg ~ auf der **Siemensallee** und der **Moltkestraße** geradewegs bis zum Eingang in den Schlossgarten ~ durch den Garten zum Schloss und dem **Schlossplatz** im Herzen Karlsruhes.

Tipp: Die genaue Route der Stadteinfahrt nach Karlsruhe bis zum Schlossplatz entnehmen Sie bitte Karte 43 auf Seite 97 bzw. dem Stadtplan.

Karlsruhe

PLZ: D-76133; Vorwahl: 0721

🛈 **Tourist-Information,** Bahnhofpl. 6, ☎ 3720-5383, www.karlsruhe-tourism.de

🏛 **ZKM, Zentrum für Kunst und Medientechnologie Karlsruhe,** Lorenzstr. 19, ☎ 81000, ÖZ: Mi-Sa 12-20 Uhr, So 10-18 Uhr. Ein Museum ganz neuen Typs, das über interaktive, erlebnisorientierte Installationen das Publikum einbezieht.

🏛 **Badisches Landesmuseum im Schloss,** Schlossplatz, ☎ 9266542, ÖZ: Di, Do-So 10-17 Uhr, Mi 10- 20 Uhr. Die Exponate behandeln Ur- und Frühgeschichte, antike Kunst, Kunsthandwerk vom Mittelalter bis zur Gegenwart, Glasmalerei aus der Zeit der Spätgotik und der Renaissance usw.

🏛 **Museum beim Markt,** Karl-Friedrich-Str. 6, ☎ 9266494, ÖZ: Di, Do-So 10-17 Uhr, Mi 13.30-20 Uhr. Zwischen Pyramide und Schloss werden Werke der angewandten Kunst des 20. Jhs. präsentiert.

🏛 **Majolika-Museum,** Ahaweg 6, ☎ 9266583, ÖZ: Di-So/Fei 10-13 u. 14-17 Uhr. Verkauf und Ausstellung der hier produzierten Fayencen, einer zinnglasierten, bemalten Töpferware.

🏛 **Staatliche Kunsthalle und Orangerie,** Hans-Thoma-Str. 2-6, ☎ 9263359, ÖZ: Di-So 10-17 Uhr, Sa/So/Fei 10-18 Uhr. Gemäldegalerien europäischer Meisterwerke vom 14. bis zum 20. Jh.

🏛 **Museum für Literatur,** Karlstr. 10, ☎ 843818, ÖZ: Di-Fr 11-17 Uhr. Bilder, Bücher und Handschriften aus einem Jahrtausend

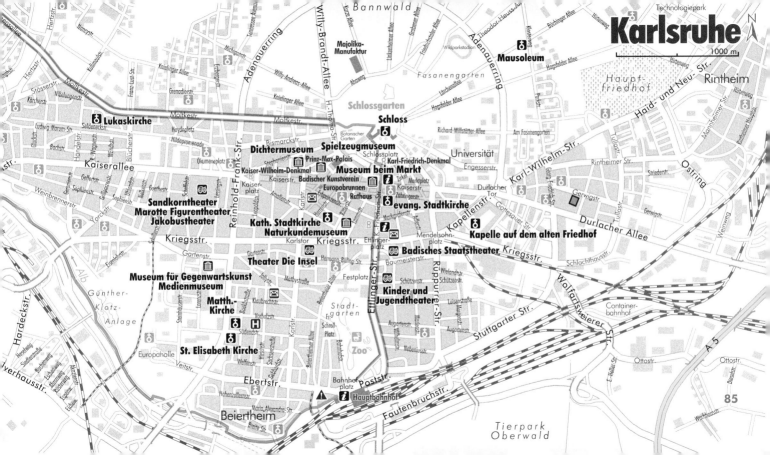

Karlsruhe

Technologiepark

N

1000 m

Bannwald

Majolika-Manufaktur

Mausoleum

Haupt-friedhof

Rintheim

Schlossgarten

Schloss

Fasanengarten

Lukaskirche

Botanischer Garten

Universität

Dichtermuseum

Spielzeugmuseum

Prinz-Max-Palais

Karl-Friedrich-Denkmal

Kaiserallee

Museum beim Markt

Badischer Kunstverein

Europobrunnen

Rathaus

Durlacher Tor

Sandkorntheater
Marotte Figurentheater
Jakobustheater

evang. Stadtkirche

Kath. Stadtkirche
Naturkundemuseum

Kapelle auf dem alten Friedhof

Kriegsstr.

Kriegsstr.

Kriegsstr.

Theater Die Insel

Badisches Staatstheater

Museum für Gegenwartskunst
Medienmuseum

Matth.-Kirche

Kinder und
Jugendtheater

St. Elisabeth Kirche

Günther-Klotz-Anlage

Europahalle

Zoo

Stadt-garten

Container-bahnhof

A 5

Ebertstr.

Bahnhof platz

Hauptbahnhof

Poststr.

Fautenbruchstr.

85

Beiertheim

Tierpark
Oberwald

Karlsruhe

dichterischen Schaffens am Oberrhein.

🏛 **Staatl. Museum für Naturkunde**, Friedrichsplatz, ☎ 1752111, ÖZ: Di-Sa 10-16 Uhr, So/Fei 10-18 Uhr. Schausammlungen mit Versteinerungen und Mineralien, Vivarium mit Kriechtieren, Fischen, etc.

🏛 **Verkehrsmuseum**, Werderstr. 63, ☎ 562622, ÖZ: Mi 15-18 Uhr, So 10-13 Uhr. Lehrschau der Verkehrs- und Fahrzeugtechnik, riesige Modelleisenbahn.

🏛 **Rheinhafen-Dampfkraftwerk**, EnBW-Infopark, unmittelbar am Radweg, ☎ 0721/6305, ÖZ: Mo-Fr 8-16 Uhr. Der gesamte Komplex mit mehreren Kraftwerksgenerationen vom Kohlekraftwerk (mit offenen Turbinen) bis zur hochmodernen Gas- und Dampfturbinenanlage ist zu besichtigen.

🏛 **Badischer Kunstverein**, Waldstr. 3, ☎ 28226, ÖZ: Di-So 10-17 Uhr, Mi 10-15 Uhr. In dem im neubarocken Stil 1901 erbauten

Gebäude finden Wechselausstellungen zeitgenössischer Kunst statt.

🔆 **Ehem. Großherzogliches Schloss**, Schlossplatz. Das Raster der von hier ausgehenden 32 Strahlen bestimmte in beeindruckender Weise auch in der Folge den Ausbau von Karlsruhe.

❈ **Marktplatz**. Pyramide, Rathaus und Stadtkirche, im klassizistischen Stil erbaut, prägen den Platz.

❈ **Turmberg**, Ortsteil Durlach. Der Aussichtspunkt auf 252 m Seehöhe, erreichbar mit der ältesten in Betrieb befindlichen Bergbahn Deutschlands, bietet einen Rundblick über den Schwarzwald und die Vogesen. Auskünfte über die Abfahrtszeiten: ☎ 5995911.

🌳 **Zoologischer Stadtgarten**, zwischen Hauptbahnhof und Festplatz, ☎ 1336815. Mehr als 1.000 Tiere und 150 Arten; über drei Großgehege erstreckt sich eine afrikanische Savanne; 800 Bäume aus zahlreichen Ländern und 300 Rosensorten bilden einen herrlichen Rahmen.

🌳 **Schlossgarten**. Die Freizeitanlage im Seerosengarten und Fasangarten wartet mit einem Abenteuerspielplatz und einer Kleinbahn auf. Rasen betreten erwünscht!

🌳 **Botanischer Garten**, Hans-Thoma-Str. 6 (hinter der Kunsthalle), ☎ 9263008, ÖZ: Di-Fr 9-12 u. 13-16 Uhr, Sa/So/Fei 10-12 u. 13-16 Uhr. Schauhäuser mit Kakteen und tropischen Pflanzen.

🚲 **Rad & Tat Fahrradhandlung GmbH**, Waldstr. 58, ☎ 26458

🚲 **Südstern Fahrrad**, Erbprinzenstr. 4, ☎ 3842970

Karlsruhe ist ein eindrucksvolles Beispiel für eine planmäßig angelegte barocke Residenzstadt. Noch um 1700 war das, an den nördlichen Schwarzwaldausläufern gelegene Gebiet, größtenteils von Hartwäldern bedeckt. 1715 gründete Markgraf Karl Wilhelm anstelle des ursprünglich aus Holz errichteten Jagdschlosses „Carols-Ruhe" die spätere Rokokoresidenz. Durch „Gnadenbriefe" wurde in ganz Europa um Zuzug in die Stadt geworben. Die Innenstadt von Karlsruhe lässt als Plangefüge heute noch die „strahlende Sonne" der Residenz erkennen. Mit dem Abriss einiger gründungszeitlicher Häuser, jedoch mit Beibehaltung des barocken Grundrisses, entstand im 19. Jahrhundert das klassizistische Karlsruhe sozusagen als zweite Stadtgründung. Die Anbindung an die neuen Verkehrstechnologien brachte dann weitere Schübe in die Stadtentwicklung, die im vorigen Jahrhundert mit dem Ausbau des Hafens, der Autobahn und der Pipeline von Marseille über Karlsruhe nach Köln gipfelte.

Von Kehl nach Karlsruhe am rechten Ufer 84,5 km

Die Gefilde des Elsass bleiben allmählich zurück, und die Stromlandschaft wird von ausgeprägten Gegensätzen erfasst: Die Funktion des Rheins als große europäische Wasserstraße und als Elektrizitätsquelle wird deutlich vor Augen geführt. Gleichzeitig unterhält er aber noch lebendige Auen und beweist damit seine Vitalität. Die kulturelle Hauptattraktion dieses Abschnittes bilden die einstigen Residenzstädte der badischen Markgrafen, Rastatt und Karlsruhe, die in ein weiteres Kapitel deutscher Geschichte Einblick gewähren. Die Barockanlagen zeugen eindrucksvoll vom selbstherrlichen Gestaltungswillen der absolutistischen Epoche.

Am rechten Ufer verläuft die Route zwar weiterhin konstant meist auf geschotterten Wegen, jedoch vermehrt nicht nur direkt entlang des Rheins sondern oft auch durch die Au oder an deren östlichem Rand, wo so einzelne Orte direkt tangiert werden .

Von Kehl
zur Fähre Greffern–Drusenheim 30 km

In Kehl vom **Marktplatz** aus Richtung Nordwesten starten ～ auf der Marktstraße geradeaus ～ bei der T-Kreuzung rechts und auf dem Radweg die Straße **Am Läger** begleiten ～ bei der nächsten Kreuzung links ab und vor der **B28** wieder rechts ～ auf dem Radweg geradewegs zum Ufer der **Kinzig** hinunter ～ hier nach links ～ nach 100 Metern dem Radweg Richtung Rheinau, der nach rechts abzweigt, folgen ～ nun auf dem geschotterten Dammweg dahin ～ mit den Brücken der Eisenbahn und der Autostraße Kehl hinter sich lassen ～ nach gut 2 Kilometern über die Brücke auf die rechte Flussseite wechseln.

Tipp: Für eine kleine Abkühlung geht es nach gut 1,5 Kilometern rechts zum **Auenheimer Bad**.

Die Route aber verläuft links parallel der Landstraße weiter entlang der **Kinzig** ～ der Dammweg ist bald nur noch ein Feldweg mit Grasmittelstreifen, bleibt aber ansonsten recht gut befahrbar.

Tipp: Sie können auch unten auf der schwach frequentierten Asphaltstraße den Damm begleiten.

Nach etwas mehr als 6 Kilometern endet der Dammweg hinter **Rheinkilometer 302** – unweit von **Honau** – vor einer Bucht, die es auf der Straße zu umfahren gilt ～ gleich nach einem Steg, beim Schild „Badesee Honau", nach links ～ entlang eines Wasserlaufes nun in Flussrichtung ～ nach 800 Metern geht es an der Kreuzung rechts zum Badesee und links hinauf auf den Rheindamm.

Tipp: Wahlweise kann man auch wieder auf Asphalt bleiben.

Am **Rheinwärterhaus** und einer **Schotter-förderanlage** vorbei ⁓ zur Rechten setzt sich die Reihe der **Kieswerke** fort ⁓ vor der **Staustufe und** dem **Kraftwerk** von **Gambsheim** breitet sich der Rhein aus ⁓ am **Hafen „Junge Gründe"** den Booten und kleinen Yachten ausweichen ⁓ dann den Staudamm verlassen ⁓ geradeaus weiter auf Asphalt ⁓ dann unter der L 87 hindurch.

Tipp: Entlang der **L 87** bzw. der **D 2** können Sie über die **Staustufe Gambsheim** ans französische Ufer wechseln. Hier lohnt ein Abstecher in das Besucherzentrum der Fischtreppe Gambsheim/Rheinau.

Bei der darauf folgenden Querstraße rechts Richtung Rheinau ⁓ nach 200 Metern wieder links (**Im Salmenkopf**) ins Gewerbegiet ⁓ an der Kreuzung rechts vom Altarm weg, dann wieder links.

Rheinau-/Freistett   (~km 310)

PLZ: 77866; Vorwahl: 07844

🛈 **Tourismus Pavillon**, aux écluses du Rhin, ✆ 388964408

🏛 **Museum Rheinau**, Hauptstr. 16, ✆ 428817, ÖZ: So 14-17 Uhr
u. n. V. Museum für Rheinschifffahrt und Heimatkunde. Gezeigt

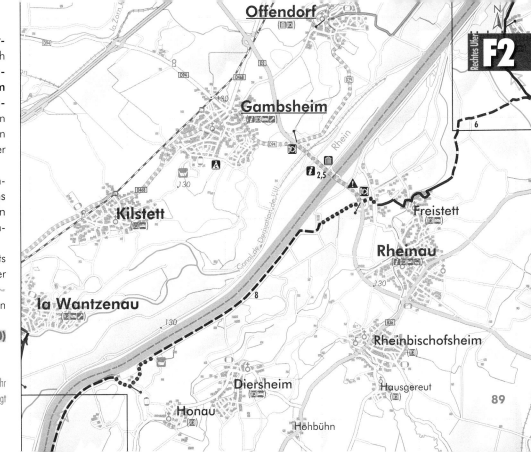

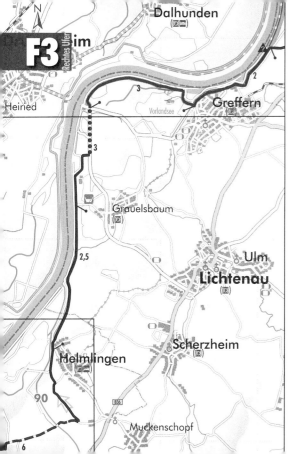

wird u. a. eine umfassende Sammlung von Schiffsmodellen und Dioramen zu Kanal- und Rheinschifffahrt, Hanf- und Tabackanbau, Fischfang und Korbflechtereien.

An der Gabelung rechts halten ∾ nach der Brücke über den Mühlbach links in die kurvige **Mühlenstraße** ∾ am Ortsende links zur **Kläranlage** ∾ die Fahrt Richtung Lichtenau am Damm fortsetzen ∾ einen Kilometer hinter der Kläranlage rechts vom Deich ab ∾ schließlich – kurz wieder auf Asphalt – den kanalisierten Fluss überqueren und 400 Meter weiter in einem spitzen Winkel links Richtung Rheinfähre Greffern–Drusenheim.

Vom Rhein durch ein Kieswerk getrennt die Ortschaft Helmlingen streifen.

Helmlingen   (~km 314)

Geradeaus weiter ∾ die Förderanlage beim **Kieswerk (~Rheinkilometer 317)** über sich vorbeiziehen lassen ∾ danach rechts zur Kreisstraße ∾ hier dann im Verkehr (**K 3744**) links zur Rheinfähre und zum dortigen Gasthaus.

Tipp: Hier können Sie mittels der Fähre wieder einmal das Ufer wechseln. **Rheinfähre Drusenheim–Rheinmünster-Greffern,** ☎ 0033/

Freistett

(0)388/597640 od. 07227/8655, Betriebszeiten: April-Sept. Mo-Fr 6-20 Uhr, Sa/So/Fei (in D oder F) 6.40-22 Uhr, Okt.-März Mo-Fr 6-20 Uhr, Sa/So/Fei (in D oder F) 7-22 Uhr

Von der Fähre Greffern–Drusenheim zur Staustufe Iffezheim   19,5 km

Auf deutscher Seite weiter auf der nur wenig befahrenen **K 3744** nach **Greffern** ∾ eine Ausbuchtung des Rheins folgt, dahinter am Ortsrand links auf die **Rheinseitenstraße.**

Tipp: Rechts gelangen Sie nach Greffern hinein, von wo aus ein Abstecher in den Ortsteil **Schwarzach** lohnenswert ist.

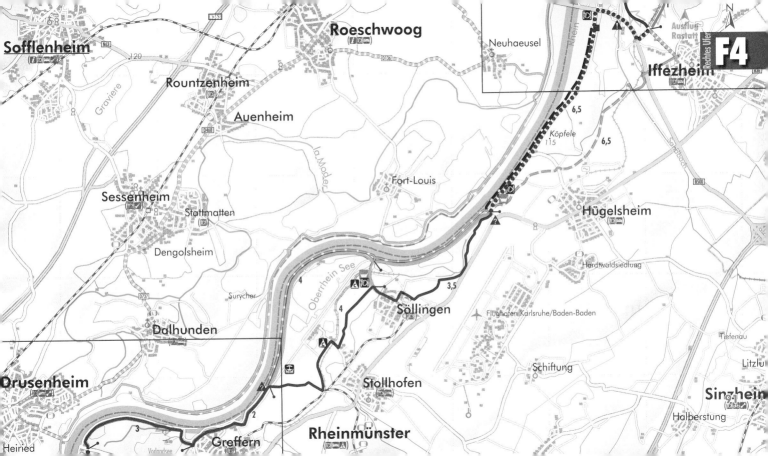

Rheinmünster (~km 321, OT Greffern)

🏛 Ehemalige Benediktinerklosterkirche St. Peter und Paul, Rheinmünster-**Schwarzach**. Ursprünglich bereits um 1220 errichtet, hat man sich bei der letzten grundlegenden Renovierung 1967-69 erfolgreich bemüht, die Anlage möglichst originalgetreu zu rekonstruieren.

Hinter **Greffern** zweigt die Hauptstrecke der Veloroute Rhein am Waldrand (~Rheinkilometer 323) von der **K 3758** rechts ab.

Tipp: Sie können von hier aus auch weiter auf der gering befahrenen Kreisstraße oder direkt auf dem Damm bis zum **Erlender Badesee** radeln. Dazwischen tangieren Sie die Hauptroute nahe **Söllingen**.

Am **Rastplatz am See** vorbei ∿ vor der Bahnlinie scharf links ∿ am **Campingplatz Heckenmühle** rechts ∿ direkt hinter dem Brückchen wieder links.

Söllingen ~km 327

Am Ortsrand entweder links zum Fluss oder rechts in die **Rheinstraße** ∿ wenig später links Richtung Kläranlage auf der **Poststraße**, dann vor dem Gewässer wieder rechts ∿ hinter dem Sportplatz am Wegekreuz links halten ∿ am

großen Deich wieder rechts ∿ immer an diesem entlang bis zur querenden Straße; rechts liegt der **Flugplatz**.

Die Route aber zieht weiter entlang des Rheins dahin ∿ zur Rechten befindet sich eine Holzplantage ∿ bei einer weiteren Wendestelle nach gut 2,5 Kilometern lockt der **Erlender See** mit Badefreuden.

Tipp: Ab dem Erlender See (~Rheinkilometer 329) verläuft eine Variante des Rhein-Radweges etwas im Landesinneren:

Alternativroute über Iffezheim   6 km

Vor dem **Erlender See** links auf der Straße über die Brücke ∿ direkt rechts der Straße auf den kleinen Dammweg ∿ rechts des Badesees vorbei ∿ die Straße nach Hügelsheim queren ∿ der Weg führt vom Damm hinunter ∿ es folgt ein Rechtsknick ∿ danach links über eine Brücke ∿ der Asphaltstraße über die B 500 folgen ∿ am Sportplatz vorüber nach Iffezheim zum Kreisverkehr.

Iffezheim

Links kommen Sie zur Hauptroute an der

L 78a, wo auch unser Ausflug nach Rastatt startet (s. S. 94); geradeaus liegt die Staustufe Iffezheim.

Für die Hauptroute am **Erlender See** einfach geradeaus am Rheinufer weiterfahren – auf der **K 3758** oder parallel oben auf dem Rheindamm.

Tipp: ⚠ Ist Ihr Rad schwer beladen, sollten Sie spätestens bei der darauffolgenden Abzweigung nach Hügelsheim auf die Straße wechseln, denn bei den Schleusen vor Iffezheim kann der Damm nur über eine Treppe verlassen werden.

Nach 6 Kilometern, bereits im Bereich der Staustufe, führt der Weg an Stegen vorüber, wo Schiffe auf Durchlass warten.

Für jene, die dem Damm treu geblieben sind, endet der befahrbare Treppelweg beim Zaun

des Betriebsgeländes ∼ über eine Treppe geht es hinunter vom Damm ∼ geradeaus bis zur querenden Bundesstraße.

Staustufe Iffezheim ~km 334

Tipp: Bereits hier auf die französische Seite zu wechseln ist zwar möglich, aber angesichts des starken Verkehrs empfehlen wir Ihnen dazu die nächste Brücke flussabwärts, die Wintersdorf mit Beinheim verbindet.

Von der Staustufe Iffezheim nach Karlsruhe 35,5 km

Rechts kurz im starken Verkehr der **B 500** Richtung Iffezheim ∼ schon vor der Straßenüberführung, einem Schild folgend, links ab ∼ die **L 78a** an der nächsten Kreuzung wieder nach links verlassen.

Tipp: Wenn Sie jedoch einen Ausflug nach Rastatt unternehmen möchten, dann fahren Sie hier geradeaus nach Wintersdorf. Bei Plittersdorf treffen Haupt- und Ausflugsroute wieder aufeinander. Der Abstecher nach Rastatt sei hier nicht nur aufgrund der Sehenswürdigkeiten, sondern auch wegen

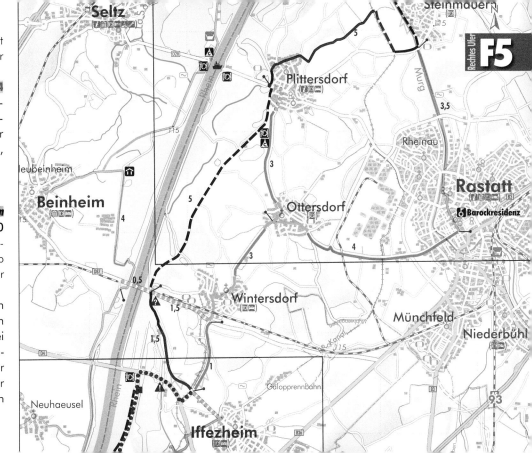

der besseren Wegequalität empfohlen. Der Wegabschnitt am Damm in Rheinnähe ist zwar beschildert, aber teilweise schlecht befahrbar. Der Ausflug nach Rastatt führt hingegen nahezu ausschließlich auf befestigten Wegen.

Ausflug nach Rastatt

Auf dem straßenparallelen Radweg der **L 78a** am Kreisverkehr geradeaus ～ unter einer Bahnlinie hindurch ～ in Wintersdorf der Vorfahrtstraße folgen, die nach rechts abknickt.

Wintersdorf   (~km 336)

Nach Ortsende auf dem rechtsseitigen Radweg (immer noch **L 78a**) bis zum nächsten Ort.

Ottersdorf   (~km 338)

🏛 Riedmuseum, Am Kirchplatz 6 u. 8, ✆ 07222/25592, ÖZ: Fr-So/Fei 10-17 Uhr. Führungen auf Anfrage möglich.

Dort gleich am Ortsbeginn rechts in die **Friedrichstraße** ～ diese wendet sich bald nach links, wird breiter und zieht sich durch den ganzen Ort ～ einige hundert Meter

Barockresidenz Rastatt

nach Ortsende zur Waldstraße ～ dem parallel verlaufenden Radweg – zunächst an der **K 3741**, dann weiter geradeaus entlang der **K 3769** nach Rastatt folgen ～ nach einigen Kilometern haben Sie die Stadt erreicht ～ das Schloss erscheint imponierend am Ende der Straße ～ der Radweg nimmt an Breite ab, führt aber verlässlich über das Flüsschen Murg und durch die Fußgängerzone bis zum Schloss.

Rastatt

PLZ: D-76437; Vorwahl: 07222

ℹ **Touristinformation Rastatt**, Barockresidenz, Herrenstr. 18, ✆ 972462, www.rastatt.de

🏛 **Wehrgeschichtliches Museum**, Herrenstr. 18/Barockresidenz, ✆ 34244, ÖZ: Mai-Okt. Di-So/Fei 9.30-17 Uhr; Nov.-April Fr-So/Fei 9.30-17 Uhr. Dokumentation der deutschen Militärgeschichte vom Mittelalter bis zur Napoleonischen Zeit.

🏛 **Erinnerungsstätte für die Freiheitsbewegungen** in der deutschen Geschichte (Bundesarchiv Außenstelle Rastatt, „Freiheitsmuseum"), Herrenstr. 18/Barockresidenz, ✆ 771390, ÖZ: Di-So 9.30-17 Uhr. Die Erinnerungsstätte würdigt Ereignisse und Personen, die vom Ende des 18. Jhs. bis Mitte des 19. Jhs. dafür gewirkt haben, Freiheit in Deutschland durchzusetzen.

🏛 **Stadtmuseum**, Herrenstr. 11, ✆ 972440, ÖZ: Fr-So/Fei 10-17 Uhr. Thema der „unprovinziellen" Schau sind die Chronik der Stadt, aber auch die großen historischen Ereignisse, mit denen der Name Rastatts verknüpft wird. Den Höhepunkt bildet ein der Revolution von 1848/49 gewidmeter Raum.

🏛 **Lustschloss Favorite**, Ortsteil Niederbühl-Förch, Favoritestraße, ✆ 41207, ÖZ: 16. März-30. Sept. Di-So 10-18 Uhr, 1. Okt.-15. Nov. Di-So 10-17 Uhr, stündliche Führungen im Schloss. In den prachtvoll ausgestatteten Gemächern der früheren (ab 1711) Sommerresidenz der Sibylla Augusta von Sachsen-Lauenburg ist die Sammlung der Markgräfin an europäischem und chinesischem Porzellan sowie die Kollektion böhmischer Gläser zu sehen. In der Prunkküche sind, zusammen mit Kupfer- und Zinngeschirr, die Fayencen, vor allem aus der Strasbourger Manufaktur, versammelt.

🔒 **Stadtkirche St. Alexander**, Kaiserstr. Der mit barocker Zwiebelhaube gekrönte Turm der 1764 fertig gestellten Kirche ragt 65 m über die Bürgerhäuser empor.

🔒 **Barockresidenz Rastatt**, Herrenstraße, ☎ 978385, ÖZ: Ganzjährig geöffnet. Das Äußere des Schlosses ist eng mit dem die Epoche des Absolutismus prägenden Vorbild, dem Schloss des „Sonnenkönigs" Ludwig XIV., in Versailles verwandt. Der „Türkenlouis" Ludwig Wilhelm I. von Baden erteilte dem Architekten Rossi den Auftrag, diese imposante Anlage zu errichten, die dann ab 1705 bezugsfertig wurde.

🏞 **Modell-Aue**. Entlang des Gewerbekanals, einer Abzweigung der Murg. Im Rahmen des Auenschutzprojektes des World Wide Fund for Nature (WWF) wurde ein früheres Parkgelände durch Aufstauung des Kanalwassers in eine Auenlandschaft „en miniature" verwandelt. Die einzigartige Modell-Aue dient vor allem als wissenschaftliches Experimentierfeld für Fragen der Auenökologie. Interessierten steht die Anlage aber jederzeit zur Besichtigung offen. Führungen für Gruppen: WWF-Auen-Institut, Josefstr. 1, ☎ 38070

Von Rastatt aus immer rechts der **Murg** ～ bei **Steinmauern** münden Sie dann geradewegs auf die Hauptroute ein.

Von Iffezheim bzw. der Staustufe kommend von der **L 78a** Richtung Rhein abzweigen ～ der Asphalt wird etwas unebener ～ an der Schranke vorüber zum Rhein.

⚠ **Tipp:** Schilder weisen nach rechts auf einen unbefestigten Weg auf den Damm. Diesen Weg nehmen Sie bitte nur, wenn Sie zur Brücke über den Rhein und nach Frankreich fahren möchten. Bitte beachten Sie, dass die Rheinfähre Seltz–Plitterdorf für unbestimmte Zeit eingestellt wurde und dies die letzte Möglichkeit bis Neuburgweier ist, den Rhein zu queren. Andernfalls bleiben Sie einfach unten auf der Asphaltstraße. Schilder sind auch hier vorhanden, zudem informiert eine Tafel

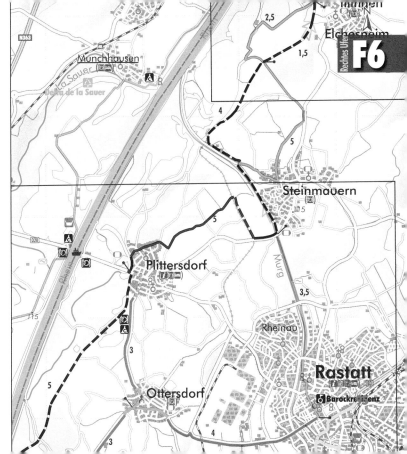

über die Radwege der Region.

Unter der Brücke hindurch ⟿ danach auf den Damm ⟿ dieser führt bis nach Plittersdorf.

Plittersdorf   **~km 340**

In Plittersdorf an der Querstraße (**L 77**) links ⟿ gleich wieder rechts in die **Bühlstraße** ⟿ gleich darauf links wieder auf den Hochwasserdamm ⟿ nach rund 350 Metern rechts vom Damm ab in die **Lange Straße** ⟿ an der Straßengabelung rechts ⟿ über die Schulstraße hinüber weiter auf der **Langen Straße** ⟿ gegen Ortsende rechts in den Anliegerweg ⟿ an der nächsten T-Kreuzung links auf Asphalt weiter ⟿ unterhalb der Hochspannungsleitungen über eine Brücke ⟿ danach rechts ⟿ an der Landstraße (**L 78a**) dann links ⟿ gleich nach der Brücke links auf den Dammweg entlang des Flüsschens Murg ⟿ bei einer asphaltierten Kreisstraße weisen Schilder nach rechts ⟿ schon bei der nächsten Abzweigung links.

Tipp: Wenn Sie lieber auf Asphalt fahren möchten und Ihnen kurze Umwege nichts

Blick von der Fähre nach Frankreich

ausmachen, dann folgen Sie den orange verzeichneten Ausweichrouten der Karte über **Steinmauern**.

Auf einen Waldweg ⟿ an der Weggabelung geradeaus weiter ⟿ am Querweg rechts ⟿ der Dammweg führt an **Elchesheim-Illingen** vorüber ⟿ am Rand des **Oberwald**es rechts auf die asphaltierte **K 3724** ⟿ in der Rechtskurve wieder links auf den Dammweg abzweigen ⟿ zur Rechten liegt Au am Rhein.

Au am Rhein   **(~km 352)**

Nach knapp 4 Kilometern Dammweg erreichen Sie die Straße von Neuburgweier zur Fähre nach Neuburg.

Tipp: Hier können Sie ans linke, hier schon

pfälzische Ufer über-setzen.

⛴ Rheinfähre Neuburgweier–Neuburg, ℂ 07273/ 3592, Betriebszeiten: Mai–Sept. Mo–Fr 6–20 Uhr, Sa 7–20 Uhr, So/Fei 9–20 Uhr; April u. Okt. Mo–Fr 6–19.30 Uhr, Sa 7–19.30 Uhr, So/Fei 9–19.30 Uhr; Nov.–März Mo–Fr 6–18.45 Uhr, Sa 7–18.45 Uhr, So/Fei 10–18 Uhr

Neuburgweier   **(~km 354)**

⚠ Die rechtsrheinische Route ist hier zwar recht unübersichtlich beschildert, sie verläuft aber im Wesentlichen einfach geradeaus weiter am bzw. auf dem Damm nach Karlsruhe-Daxlanden ⟿ bei den Vereinshäusern führt der inzwischen asphaltierte Weg nach rechts ⟿ dann wieder links zum Rheinstrandbad.

Daxlanden / Rheinstrandbad Rappenwört ~km 358

Tipp: Von hier aus gibt es zwei Möglichkeiten, um nach Karlsruhe hineinzufahren.

Entweder Sie folgen der Variante, die vom Rheinstrandbad rechts abzweigt und durch **Daxlanden** ins Stadtzentrum führt. Oder Sie fahren am Rheinufer weiter, bis zur Rheinbrücke und folgen ab hier der ab Seite 99 beschriebenen Radroute ins Stadtzentrum. Detailliert erkennen Sie die Streckenführungen auch im Stadtplan Karlsruhe auf S. 85.

Über Daxlanden zum Karlsruher Schloss 12,5 km

Vor dem Eingang zum **Strandbad** rechts auf den Radweg ⤳ somit auf der **Hermann-Schneider-Allee** fast ins Zentrum von Karlsruhe.

Daxlanden   **(~km 358)**

Am Ende der Allee zur großen Kreuzung, ⤳ hier geradeaus hinüberfahren ⤳ die Fahrt setzt sich in der **Willi-Egler-Straße**

fort ⤳ bei einem Strommast den asphaltierten Radweg, der am Rande eines Parks verläuft, wählen ⤳ vor dem kleinen Fluss Alb über die **Rheinhafenstraße** ⤳ gleich nach der Brücke von der **Daxlander Straße** rechts Richtung Rheinhafenbad ⤳ unten bei der Alb angekommen links halten ⤳ der Weg führt fast bis ins Zentrum entlang der **Alb** ⤳ flussabwärts fahren und beim **Kornweg** auf das andere Ufer übersetzen ⤳ bevor Sie einen weiteren Flussarm erreichen nach links abzweigen und die Alb abermals queren ⤳ nach der zweiten Straßenbrücke beim Steg mit einer schönen Trauerweide erneut den Fluss queren.

Tipp: Auf der gegenüberliegenden Seite verläuft der Weg zwar weiter, wird aber zum Großteil von Fußgängern benutzt, und

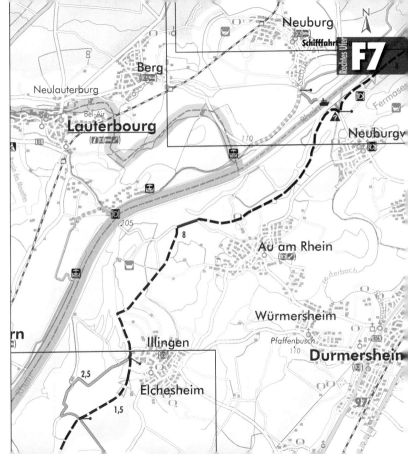

Radfahrer sind dort nicht gern gesehen.

Weiter am Albufer, oberhalb nochmals einige Straßen und die Eisenbahnlinien ~ nach der linksseitig auf einer Erhöhung stehenden **Europahalle** und einer hochmodernen Brücke erneut das Ufer wechseln ~ nach Unterqueren eines **Autobahnknotens** in ein Villenviertel ~ der Weg sucht wieder das andere Ufer auf und führt an einer interessant gestalteten Brunnenanlage vorüber ~ bei einem kleinen Wehr an der Alb zur Ampel ~ während sich die Alb nach rechts verabschiedet, fahren Sie geradeaus weiter ~ durch Kleingärten und danach über eine Querstraße ~ der Radweg führt rechts weiter und stößt an die Gleise zweier Straßenbahnlinien ~ ⚠ hier ist Vorsicht geboten, durch die Geländer müssen Sie das Rad eventuell schieben ~ in der nächsten Kreuzung geradeaus über die **Viktor-Collancz-Straße** zum **Hauptbahnhof** von Karlsruhe ~ auf dem Radweg in der **Poststraße** ~ in der **Ettlinger Straße** weiter zum Schloss ~ dies wird hier am Ende des Weges sichtbar ~ hinter dem Ettlinger Tor bald zur Fußgängerzone und somit zum imposanten **Schloss**.

Karlsruhe

Auf der Veloroute Rhein an der Querstraße direkt vor dem **Strandbad Rappenwört** geradeaus auf den Radweg ~ den Radschildern Richtung Landau/Pfalz folgend in den Wald hinein ~ vor dem Teich links und kurz darauf wieder rechts ~ nach der Engstelle geradeaus am Damm weiter bis direkt ans **Rheinhafen-Dampfkraftwerk**.

Davor rechts und unterhalb des gigantischen Schornsteins entlang ~ dahinter knickt die Route scharf links auf einen engen Pfad ~ direkt wieder rechts durch's Kraftwerks- und Industriegelände ~ links auf die Straße ~ an der Vorfahrtstraße rechts ~ nach 200 Metern weisen die Schilder nach Landau/Pfalz nach links ~ vor zu den Gleisen, gleich dahinter liegt das Verbindungsbecken des Karlsruher Hafens ~ hier nach links und die Hafenzufahrt über das **Hafensperrtor** überqueren.

Tipp: ⚠ Räder und Gepäck müssen leider über zwei steile Treppen geführt werden!

Am anderen Ufer links auf die Straße ~ nach der Rechtskurve durch die Schranke und am Damm entlang ~ in Rheinnähe bis zur Rheinbrücke der B 10, die Baden-Württemberg mit Rheinland-Pfalz verbindet ~ das Brückengewirr unterqueren ~ danach rechts steil zur Bundesstraße hinauf (Schilder Richtung Landau/Pfalz).

Tipp: Die Stadteinfahrt nach Karlsruhe über Knielingen erfolgt wie auf Seite 81 (linkes Ufer) beschrieben. Für die Weiterfahrt am Rhein entlang Richtung Speyer müssen Sie hier aufs rheinland-pfälzische Ufer hinüber. Erst ab Leimersheim können Sie dann wieder beiderseits des Rheins fahren. Für die rechtsrheinische Route geht es weiter ab der Fähre Leimersheim, siehe Karte H1

Wörth am Rhein

A65

2

0.5

Maxau

B10

3

Maximiliansau

Knielinger See

Knielingen

Nordstadt

120

Hagenbach

Burgau

B10

Karlsruhe

105

Rheinhafen-Dampfkraftwerk

Mühlburg

Schloss Karlsruhe

B36

Oststad

Naturkundemuseum

7

Daxlander Straße

Daxlanden

Zentrum für Kunst und Medientechnologie Karlsruhe

Hermann-Schneider-Allee

Grünwinkel

2.5

Südweststadt

Neuburg

Schifffahrtsmuseum

Kastenwörth

Oberreut

Bulach

Weiherfeld

4

Fermasee

Federbach

B36

Messe Karlsruhe

110

Neuburgweier

Forchheim

Rüppur

Von Karlsruhe nach Ludwigshafen

80 km

Auf dem rheinland-pfälzischen Strang des Rhein-Radweges liegen die kurbayerische Festung Germersheim und das 2.000-jährige Speyer mit dem romanischen Dom und der Grablege der salischen Kaiser. Weitere Höhepunkte auf diesem Abschnitt sind sicherlich die Wege entlang der Auwälder zwischen Leimersheim und Germersheim, zwischen Otterstadt und Altrip. In der Ferne sind die Gebirgsränder des Pfälzer- und des Odenwaldes sichtbar. Die Etappe endet in Ludwigshafen. Hier lohnt der Besuch der Rheinpromenade und des Wilhelm-Hack-Museums.

Beide Routenvarianten bleiben die ersten 15 Kilometer am pfälzischen Rheinufer, meist auf asphaltierten Dammwegen. Die Radroute weiter am linken Ufer ist durchgehend bis Ludwigshafen befestigt und verfolgt die Schlangenlinie der Altarme. Die rechtsrheinische Route führt auch häufig auf ruhigen Landstraßen, hier werden Sie verstärkt eine regionale Beschilderung vorfinden. Beide Routen sind auf der selben Karte dargestellt.

Wörth am Rhein

3,5

Raffinerie

Neureut

Maxau

2

Maximiliansau

0,5

3

Knielingen

Nordstadt

Mühlbach

120

Knielinger See

Hagenbach

Burgau

Karlsruhe

Rheinhafen-Dampfkraftwerk

Mühlburg

Schloss Karlsruhe

7

Naturkundemuseum

Oststadt

Daxlanden

Zentrum für Kunst und Medientechnologie Karlsruhe

10,5

Grünwinkel

2,5

Neuburg

Südweststadt

101

Dieser Abschnitt der oberrheinischen Radtour beginnt in Karlsruhe-Maxau. Erst bei Leimersheim können Sie sich dann wieder zwischen zwei Hauptrouten entweder am linken oder am rechten Ufer entscheiden. Beachten Sie bitte, dass beide Ufer auf der gleichen Karte dargestellt sind.

Von Karlsruhe
nach Leimersheim   **15,5 km**

Von **Maxau** nach **Maximiliansau** entlang der **B 10** über den Rhein ⁓ am anderen Ufer rechts bergab.

Nach der Brückenabfahrt über die Straßeneinmündung ⁓ links auf den Radweg und entlang der **Maximilianstraße** geradeaus Richtung Wörth ⁓ dem Radweg folgend um die beiden Kreisverkehre herum ⁓ zur Auffahrt und anschließend mittels Brücke über die Bahngleise ⁓ am Ende der Brückenabfahrt links auf die andere Straßenseite wechseln ⁓ rechts auf dem Radweg bis zum Bahnhof von Wörth am Rhein.

Tipp: Für die Teilstrecke zwischen Wörth

und Leimersheim gibt es bis voraussichtlich 2011 eine beschilderte Umleitung von 15 Kilometern. Diese führt, wie auf Karte G2 orange gekennzeichnet, über Jockgrim und Neupotz nach Leimersheim, wo Sie am Pumpwerk wieder den Weg am Rheinhauptdeich erreichen.

Wörth am Rhein
PLZ: 76744; Vorwahl: 07271

🛈 Touristik- und Verkehrsverein Landkreis Germersheim, Luitpoldpl. 1, 76726 Germersheim, ✆ 07274/53232, www.suedpfalz-tourismus.de

🏛 Galerie Altes Rathaus, Ludwigstr. 1, ✆ 131203, ÖZ: Do u. So 14-18 Uhr. Gemäldesammlung der Heinrich von Zügel-Gedächtnisgalerie. Zusammen mit Max Bergmann, Otto Dill, Hans Thoma und Albert Haueisen gehörte Heinrich von Zügel zu den Begründern des deutschen Impressionismus. Regelmäßige Wechselausstellungen zeitgenössischer Künstler.

✱ Altwörth mit Gebäudeensemble, Ludwig-/Altrheinstraße. Altes Rathaus (1826-28) und Christuskirche und dem Haus der Künstler in alter Fachwerkskunst.

✱ Bürgerpark mit Skulpturengarten, 8 Skulpturen des Bildhauers Volker Krebs aus Sandstein und Kupfer, kreisförmig um eine zentrale Flügelfigur angeordnet.

✉ Badepark Wörth, Badallee, ✆ 6373, ÖZ: Mai-Sept. tägl. 9-19 Uhr, Hauptsaison 9-20 Uhr. Zehn Becken, darunter Wellenbecken, Becken mit Doppelrutschen 63 und 67 m lang.

🚲 Velo-Center Hessert, Hartmannstr. 25 – Nähe TÜV, ✆ 78033

🚲 🚲 Killer-Rad, Ortsteil Maximiliansau, Jacques-Offenbach-Str. 3, ✆ 971022

Für die Weiterfahrt, beim Bahnhof rechts in die **Bahnhofstraße** ⁓ nach ca. 150 Meter rechts in die **Dammstraße** ⁓ am Ende der Dammstraße rechts in die Grünanlage und gleich wieder links ⁓ vorbei an der Dammschule bis zur **Forlacher Straße** ⁓ geradeaus in die idyllische **Altrheinanlage** ⁓ weiter bis zur Ortsstraße, hier rechts ⁓ rechts halten vorbei am Vogelpark und aus Wörth hinaus ⁓ dem asphaltierten Wirtschaftsweg folgend über die Brücke (B9) ⁓ direkt nach der Brücke links ab ⁓ entlang der Bundesstraße bis zur **Hafenstraße**, der K 25 ⁓ über die Hafenstraße und geradeaus auf dem Asphaltweg, der entlang des Altrheins weiterzieht ⁓ nach 2,5 Kilometern beim **Schöpfwerk** linksherum zum Rheindamm

~ 150 Meter später die Fahrt auf dem Damm fortsetzen.

Tipp: Nach 1,5 Kilometern durch einen erholsamen Waldabschnitt folgt beim Wehrhaus eine Abzweigung nach links in das Südpfälzer Dorf Jockgrim, ein sehenswertes Gruppenbild mit Fachwerkhäusern. Die Route ist in der Karte in orange dargestellt.

Die Hauptroute verläuft ab der Abzweigung nach Jockgrim links entlang des Dammes weiter bis zur Querstraße bei Leimersheim.

Tipp: Rechts ab gelangen Sie zur Fähre, die Sie zur rechtsrheinischen Route bringt.

Leimersheim
(~km 372, Fähre)

⚓ Rheinfähre Leimersheim—Leopoldshafen, ☎ 07273/3592 od. 0177/6628495, Betriebszeiten: Mai-Sept. Mo-Fr 6-

20 Uhr, Sa 7-20 Uhr, So/Fei 9-20 Uhr; April u. Okt. Mo-Fr 6-19.30 Uhr, Sa 7-19.30 Uhr, So/Fei 9-19.30 Uhr; Nov.-März Mo-Fr 6-18.45 Uhr, Sa 7-18.45 Uhr, So/Fei 10-18 Uhr

Tipp: Ab Leimersheim verläuft der Rhein-Radweg wieder beiderseits des Flusses.

Von Leimersheim nach Germersheim am linken Ufer   **12 km**

Tipp: Nach links können Sie – z. B. um sich zu verpflegen – über **Kuhardt** und **Hördt** radeln (zum Teil beschildert).

Geradeaus geht die Hauptroute weiter am Damm entlang ~ etwa 2 Kilometer hinter Leimersheim links

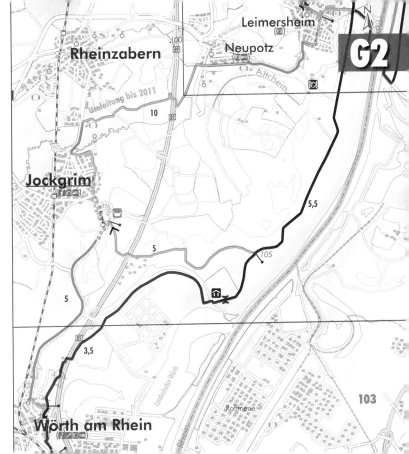

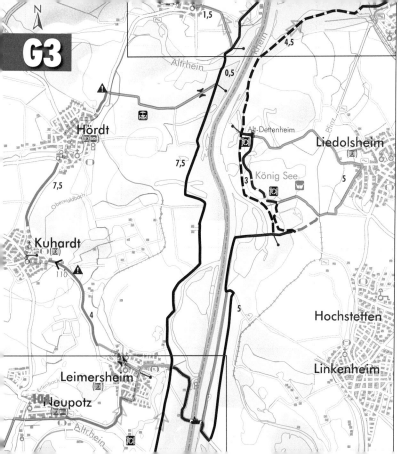

ins **Naturschutzgebiet „Hördter Rheinaue"** ∿ der Damm leitet verlässlich durch dieses grüne Labyrinth.

Dem Dammverlauf folgend 300 Meter nach der Abzweigung Richtung Hördt den **Sondernheimer Altrhein** überqueren ∿ am **Schleusenhaus** vorüber.

Tipp: Direkt nach dem Rechtsknick links hinunter können Sie auch durch das sehenswerte **Sondernheim** und vorbei am **Badesee** zurück zum Ufer radeln.

Rechter Hand Richtung Gaststätte auf den nächsten Damm ∿ diesen nach 150 Metern wieder verlassen ∿ links davon weiterfahren ∿ 500 Meter weiter quert eine Straße ∿ rechts hinunter zum Rheinufer ∿ neben dem Damm bis zur **Eisenbahnbrücke** und darunter hindurch ∿ danach links.

Tipp: Linker Hand befindet sich ein Infopunkt mit Stadtplan und Routenbeschreibung der Velo Route Rhein.

Weiter geradeaus ∿ die Bahn unterqueren ∿ rechts in die **Rudolf von Habsburg Straße** für die Hauptroute links auf den Radweg, welcher die **Zeughausstraße** begleitet.

Tipp: Zuvor können Sie der Stadt Germersheim einen Besuch abstatten, welche mit netten Cafès, Eisdielen und Gasthäuser aufwartet.

Hierfür zur linksabzweigenden Straße **An Fronte Dietz** ∿ dort sieht man bereits die sogenannte „Carnot'sche Mauer" und das Zeughaus ∿ der Ausschilderung „Festungsrundweg" folgen ∿ am Arrestgebäude vorüber ∿ nach etwa 150 Metern in die **Königstraße** ∿ weiter zum **Königsplatz**

Germersheim – Weißenburger Tor

~ geradeaus in die Innenstadt.

Germersheim   ~km 384

PLZ: D-76726; Vorwahl: 07274

i Touristinfo, Kolpingplatz 3, ✆ 960260, www.germersheim.de

⚓ Schiffsanlegestelle für Fahrgastschiffe

🏛 Deutsches Straßenmuseum im Zeughaus, ✆ 500500, ÖZ: Di-Fr 10-18 Uhr, Sa/So 11-18 Uhr. Die Sammlung bietet einen Einblick in die Geschichte des Straßenbaus von der römischen Zeit bis in die Gegenwart.

🏛 Stadt- und Festungsmuseum im Ludwigstor, ✆ 960220 od. 960224, ÖZ: April-Dez. jeden 1. So im Monat u. jeden Mittwoch 14-17.30 Uhr. Die Sammlung dokumentiert die Stadtgeschichte, aber auch die ehemalige Festung und Garnison.

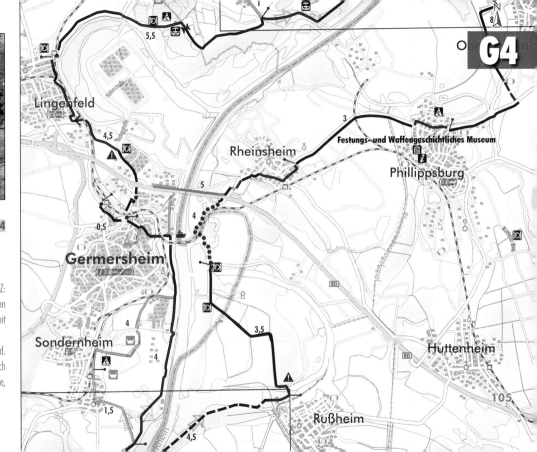

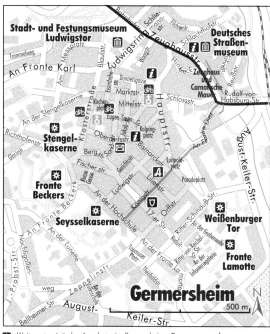

Germersheim

500 m

N

▣ Germersheimer Radhaus Ruckstuhl, ☎ 3100

▣ Fahrräder + Anhänger Siebecke u. Lange, Marktstr. 22, ☎ 4863

Von Germersheim nach Speyer am linken Ufer   24,5 km

Auf dem Radweg links der **Zeughausstraße**, anschließend **Bahnhofstraße** weiter ⤳ rechts ab und weiterhin auf dem Radweg nun die **Rheinbrückenstraße** begleiten beim Kreisverkehr geradeaus ⤳ die **B35** unterqueren ⤳ dem Radweg entlang der Kreisstraße durch das Gewerbegebiet folgen ⤳ nach rund einem Kilometer hinter der Gaststätte links die Straße queren (⚠) und auf den Weg am Deich ⤳ vor der Bahn rechts ⤳ nach 300 Metern unter der Bahn hindurch ⤳ drüben rechts halten ⤳ kurz darauf links hinauf nach Lingenfeld.

Lingenfeld

An der ersten Kreuzung rechts in die **Kirschen-**

allee ⤳ links und weiter geradeaus ⤳ nach 700 Metern beim Haus Nummer 44 rechts auf einer kleinen Holzbrücke über eine stillgelegte Bahnlinie ⤳ geradeaus wieder durch's Wohngebiet, parallel der Hauptbahnlinie ⤳ vor dem **Bahnhof Lingenfeld** rechts über die Gleise ⤳ auf dem Radweg parallel der **L 507** weiter ⤳ rechts unterhalb liegt der Bogen des **Lingenfelder Altrheins**.

Nach 1,5 Kilometern in der Linkskurve der Landstraße geradeaus weiter und somit das Hochgestade verlassen ⤳ der Güterweg verläuft auf dem ehemaligen Schwemmland des Flusses ⤳ bald am **Campingplatz** und **Badesee** vorüber ⤳ der Radweg wendet sich nach dieser Anlage nach rechts ⤳ dem Dammverlauf durch den **Schwarzwald** folgen.

Tipp: An der Straße, auf die die Route nach rechts einmündet, bietet sich beim Pumpwerk die Gelegenheit, halblinks nach Mechtersheim zu fahren.

Mechtersheim

Für die Hauptroute weiter auf dem Damm halten, der rechts weiterzieht.

*Am Ende der breiten, ge-pflasterten Straße erheben sich eindrucksvoll die mächtigen Kühl-türme des **Atomkraftwerkes Phi-lippsburg** am anderen Ufer.*

Ein Stück vor dem Rheinufer links ～ wieder den Hochwasserdamm, der 1,5 Kilometer weiter nach links abknickt und einen weiteren Altrheinarm umrundet, begleiten ～ nachdem Sie bereits die Häuser von **Römerberg-Berghausen** links hinter sich gelassen haben, kommen Sie zur „**Kleinen Spey-erer Basis**", einem historischen Vermessungspunkt.

Tipp: Hier haben Sie zwei Va-rianten, um in die Stadt zu kom-men: Die etwas kürzere Alterna-tive führt durch die Stadt, vorüber an den Sehenswürdigkeiten von Speyer. Die Hauptroute da-gegen verläuft zunächst weiter auf ruhigen Wegen am Damm

entlang und folgt dem Verlauf des Flusses. Die Besichtigung der Altstadt ist von beiden Varianten aus problemlos möglich, da die-se sich unweit des Domes wieder treffen.

Die Hauptroute folgt nach der Abzweigung nach Speyer weiter dem Dammverlauf ～ auf den Schildern erscheint bereits Lud-wigshafen ～ an der **K 3** links auf den straßenbegleitenden Radweg.

Tipp: Geradeaus kommen Sie zur Fähre nach **Oberhau-sen-Rheinhausen** (Stadtwerke Speyer, ✆ 06232/625-0, Be-triebszeiten: 18. April-13. Okt. Fr 11-19.30 Uhr, Sa u. Fei 10-19.30 Uhr, So 9-19.30 Uhr, im Okt. immer nur bis 18.30 Uhr).

Nach dem Ortseingangsschild von Speyer auf dem Radweg rechts der **Industriestraße** weiter ～ rechter Hand befindet sich der

Dom zu Speyer

Flugplatz ∼ stets geradeaus ∼ auf dem Radweg rechts ab und nun entlang der Straße **Am Technik Museum.**

Tipp: Wenn Sie an der nächsten Gabelung links fahren und unter der B 39 hindurch, liegt die Stadtmitte zu Ihrer Linken. Nach rechts führt Sie die Geibstraße zum Rheinufer.

Speyer   ∼km 400

PLZ: D-67346; Vorwahl: 06232

🅸 Tourist-Information, Maximilianstr. 13, ✆ 142392, www.speyer.de

🏛 **Historisches Museum der Pfalz**, Domplatz, ✆ 620222, ÖZ: Di-So 10-18 Uhr. Einen wertvollen Teil der Sammlung bildet die

Domschatzkammer mit den Funden aus den salischen Kaisergräbern, die 1900 im Dom geborgen wurden. Außerdem ist hier auch ein Weinmuseum untergebracht.

🏛 **Technik-Museum Speyer**, Am Technik-Museum 1, ✆ 67080, ÖZ: tägl. 9-18 Uhr. In der denkmalgeschützten „Liller Halle" und im großen Freigelände werden Exponate aus den Bereichen Luftfahrt, Eisenbahn, Feuerwehr und Schiffsbau präsentiert. Das IMAX-Dome 3D-Filmtheater stellt eine weitere Attraktion dar.

🅱 **Kaiserdom**, ÖZ: April-Okt. tägl. 9-19 Uhr; Nov.-März tägl. 9-17 Uhr. Führungen: Domkapitel Speyer, ✆ 102118. Der imposante Bau gehört heute zu den bedeutendsten und größten romanischen Bauwerken Deutschlands, UNESCO-Weltkulturerbe seit 1981.

🅱 **Dreifaltigkeitskirche**, Große Himmelsg. 4. Nach den Verwüstungen des Pfälzischen Erbfolgekrieges errichtete die lutherische Bürgerschaft 1701-17 das Gotteshaus, dessen Fassade eine späte, idealisierte Renaissance mit der Formenlehre des Barock vereint.

✳ **Jüdisches Bad**, Kleine Pfaffeng. 21, ✆ 291971, ÖZ: während der Saison Mo-Fr 10-17 Uhr. Das im frühen 12. Jh. angelegte rituelle Reinigungsbad (Mikwe) bildet das älteste jüdische Kulturdenkmal dieser Art in Deutschland.

✳ **Altpörtel.** Erbaut im 13. Jh., repräsentiert es als eines der höchsten (55 m) und bedeutendsten Stadttore Deutschlands die ehemalige Stadtbefestigung.

✳ IMAX-Dome, Am Technikmuseum, ✆ 67080

Speyer – Stadtmauer

📷 **Sea Life Speyer**, im Hafenbecken 5, ✆ 69780, ÖZ: tägl. ab 10 Uhr. Hier tauchen Sie ab in die Faszination der heimischen Unterwasserwelt. Vom Stichling über den Seestern bis zu den Haien – erfahren Sie „meer" über die Bewohner unserer Gewässer.

🚲 **Stiller Radsport**, Gilgenstr. 24, ✆ 75966

Von Leimersheim
nach Speyer-Lusshof am rechten Ufer   38 km

Tipp: Die kartographische Darstellung der Route finden Sie auf der Karte G2.

Nach Überquerung der Rheins in Ufernähe rechts vom Damm auf einen befestigten Waldweg Richtung Norden ∼ an der kleinen

Speyer – Alte Münze

asphaltierten Querstraße links über den Damm ∿ am Rhein rechts ∿ zur **Insel Rott** und hier rechts zum Gasthof ∿ über zwei Brücken.

⚠ **Tipp:** Beim Damm haben Sie die Qual der Wahl. Entweder Sie fahren gleich links auf den Damm hinauf und weiter bis **Alt-Dettenheim**, oder Sie radeln etwas weiter und durchfahren dann ein Kiesabbaugebiet. Sie können aber auch mit einem kleinen Umweg außen herum auf asphaltierten Wegen über Dettenheim fahren.

Nach dem Damm gleich links ∿ dann mit einem Rechtsbogen zum Kiesberg ∿ den Hügel rechtsherum umrunden ∿ den ersten

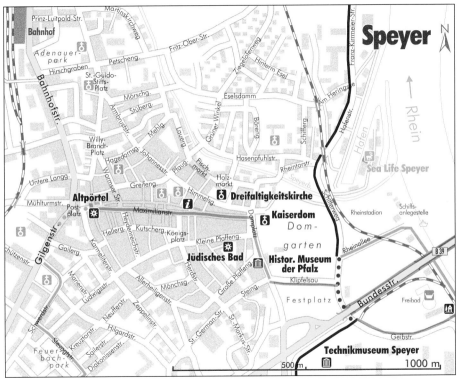

Weg ignorieren und nach rechts ∿ unter dem Förderband hindurch ∿ es taucht dann ein unbefestigter Weg auf, der zu einem Gasthaus am See führt ∿ davor links erneut durch ein Kieswerk.

Sie durchfahren das Kieswerk ∿ wieder auf eine befestigte Straße ∿ weiter nach **Alt-Dettenheim** und an der Querstraße links ∿ dann rechts auf den Damm ∿ im Wald vom Damm hinunter und dem Ufer nähern ∿ auf unbefestigtem Weg in die Nähe der Ortschaft **Rußheim** ∿ wieder auf Asphalt und an der Querstraße links ∿ ⚠ an der T-Kreuzung nach Querung des Altarmes links dem Radschild Rhein folgen.

An der nächsten Abzweigung rechts an der Schranke vorüber ∿ dieser zweispurige Weg führt mit einem Linksknick im Wald quer durch die Insel **Elisabethenwört** ∿ wieder am Damm nach rechts wenden ∿ beim Gasthof an der Querstraße links Richtung Germersheim und Philippsburg ∿ unter der Bahnbrücke hindurch ∿ an der Kreuzung rechts, Germersheim liegt am linken Ufer.

Germersheim   ∿km 384 (s. S. 105)

Auf Höhe der **Auffahrt zur B 35** weisen die Schilder links auf den linksseitigen Radweg ∿ nach Unterquerung der Bundesstraße den Schildern rechts über die Straße folgen ∿ über den Parkplatz ∿ kurz vor der Straße rechts gleich wieder links auf den gekiesten **Gänseweidweg** nach Rheinsheim.

Rheinsheim   (∿km 387)

An der **Lindenstraße** rechts ∿ an der T-Kreuzung dann links ∿ an der Vorfahrtstraße leicht nach rechts versetzt geradeaus weiter in die **Angerbergstraße** ∿ nach der Linkskurve heißt die Straße **Mühlweg** ∿ beim Stoppschild rechts auf den straßenbegleitenden Radweg in die Barock- und Festungsstadt Philippsburg.

Philippsburg   (∿km 390)

PLZ: 76661; Vorwahl: 07256

🛈 Rathaus Philippsburg, Huttenheimer Landstraße, ☎ 870, www.philippsburg.de

🏛 **Festungs- und Waffengeschichtliches Museum**, Schlachthausstr. 2 (Senator Dr. Buda-Haus), ☎ 87-121. Besichtigung und Führung nach telefonischer Voranmeldung. Das Museum ist in drei Bereiche gegliedert: Ein Teil behandelt die geschichtliche Entwicklung des Festungswesens, ein Bereich erzählt über die Stadt- und Reichsfestung Philippsburg von 1615–1801 und der dritte Bereich befasst sich mit waffengeschichtlichen Sammlungen.

⛪ **Barockkirche St. Maria**, Marktpl. 2

✹ **historischer Marktplatz** mit schönem Brunnen und dem Kugeldenkmal.

✉ **Ernst-Freyer-Bad**, ÖZ: Mitte Mai-Mitte Sept., Mo-So 9-20 Uhr

Gleich zu Ortsbeginn links in die **Pulverturmstraße** ∿ rechts in die **Wutgenaustraße** ∿ immer geradeaus über mehrere Querstraßen ∿ in der Folge heißt die Straße **Prinz-Eugen-Straße** ∿ an der darauffolgenden Querstraße rechts ∿ an der **L 555** ortsauswärts wieder auf den parallelen Radweg ∿ beim **Kreisverkehr** noch geradeaus Richtung Waghäusel.

Der Radweg führt dann mittels einer Unterführung links unter der Straße hindurch ∿ dahinter den Radschildern Richtung Speyer halblinks folgen ∿ an der **K 3758** kurz rechts ∿ beim Radwegende die Straße überqueren und geradeaus am Damm weiter ∿ an der Abzweigung nach dem Rechtsknick links ∿ nach rund 800 Metern gabelt sich der Weg ～ hier auf der rechten Seite des Dammes bleiben ～ vor dem Haus rechts ～ an der T-Kreuzung den Schildern nach links folgen.

Tipp: ⚠ Der kleine Schlenker entlang des Rheins ist teilweise schlecht befahrbar. Wenn Sie sich das ersparen wollen, fahren Sie einfach geradeaus am Ortsrand von Rheinhausen entlang.

Oberhausen-Rheinhausen ～km 394

Am Rheinufer rechts und bei der ersten Straße, die in den Ort führt, erneut rechts ～ hinter dem Damm wieder links ～ dem Straßenverlauf der **Oberburgstraße** folgen ～ an der Vorfahrtstraße im Ort links.

Tipp: In der Rechtskurve geradeaus zur Fähre fahren um ans andere Ufer überzusetzen (～km 394). **Fähre Rheinhausen–Speyer**, ✆ 06232/625-0 (Stadtwerke Speyer), Betriebszeiten: 18. April-13. Okt. Fr 11-19.30 Uhr, Sa u. Fei 10-19.30 Uhr, So 9-19.30 Uhr (Okt. immer nur bis 18.30 Uhr)

Die Hauptroute am rechten Ufer hingegen folgt hier noch dem Hauptstraßenverlauf ～

kurz darauf weisen die Schilder zwischen den Häusern hindurch zum Damm hin ～ auf dem Dammweg weiter, bis die Schilder rechts zur Kreisstraße hinunter weisen ～ links auf den straßenparallelen Radweg ～ zum Ortsbeginn von **Altlußheim** links durch die Absperrung ～ gleich darauf wieder rechts in den schmalen, asphaltierten Weg.

Altlußheim ～km 396

Anfangs an den Häusern entlang, dann wieder ins freie Feld hinaus ～ inmitten der Felder dem Asphaltband nach rechts folgen ～ Sie kommen zum querenden Radweg und wenden sich kurz nach rechts ～ die Vorfahrtstraße queren ～ im spitzen Winkel links in den **Wiesenweg** ～ an den Sportplätzen entlang und weiter auf dem Anliegerweg ～ die B 39 überqueren ～ bei der zweiten Abzweigung links ～ an der zweiten Kreuzung wieder rechts.

Tipp: Sie kommen dann zur **L 722**, die ans linke Ufer nach Speyer führt und beidseits von einem Radweg begleitet wird.

Speyer-Lusshof ～km 400 (s. S. 108)

Von Speyer nach Ludwigshafen am linken Ufer 28 km

Auf dem linksseitigen Radweg entlang von **Schillerweg**, **Hafenstraße** und **Franz-Kirrmeier-Straße** von Speyer nördlich stadtauswärts radeln ～ weiter an der Böschung entlang ～ bei der nächsten Möglichkeit rechts ～ bei der darauf folgenden Vorfahrtstraße links ～ der gemeinsame Fuß- und Radweg führt an einer ehemaligen Ziegelei vorüber ～ rechts erstreckt sich ein Erholungsgebiet von Speyer, wo man auch baden kann ～ unter der **Autobahnbrücke der A 61** hindurch ～ rund 2 Kilometer weiter an der Kreuzung noch ein Stückchen geradeaus auf der gepflasterten **K 31** bis zum Campingplatz bei **Reffenthal**.

Tipp: Bis Oktober 2008 müssen Sie hier aufgrund von Bauarbeiten am Rheindeich mit einer rund 8,4 Kilometer langen, beschilderten Umleitung über Waldsee rechnen. Diese Alternativroute finden Sie in Karte G6 orange gekennzeichnet.

Reffenthal

Tipp: Geradeaus weiter kommen Sie auf den wenig befahrenen Straßen **L 535** und **L 630** zur **Kollerfähre**, die Sie mittwochs bis sonntags zur rechtsrheinischen Route übersetzt. **Fähre Brühl–Kollerinsel**, ✆ 0621/292-3327, Betriebszeiten: April-Sept. Mi-So 10-11.45 u. 13-19 Uhr; 15.-31. März u. 1.-31. Okt. Mi-So 10.30-11.45 u. 13-15 Uhr (nicht bei einem Wasserstand unter 2,20 m am Pegel Speyer)

Ehe es zur Fähre geht, gegenüber der Zufahrt zum Campingplatz links ab ∿ linksrheinisch Richtung Altrip weiter ∿ nach einer Geradeausfahrt auf eine Querstraße ∿ kurz rechts halten ∿ an der linken Flanke des Dammes weiter.

Tipp: Hinter dem Deich verbergen sich Dauercampingplätze. Bei einer weiteren Querstraße geht es links nach **Otterstadt.**

Otterstadt

Tipp: Ab Otterstadt führt Sie bis voraussichtlich Oktober 2008 eine beschilderte Umleitung über Waldsee bis Höhe Rohrhof am linken Ufer, siehe orange Route in Karte G6.

Die Route führt jedoch rechts am Damm weiter ∿ 500 Meter nach der letzten Abzweigung wieder den Damm verlassen ∿ dem Dammverlauf folgen und so den **Otterstädter Altrhein** umrunden ∿ der Weg führt am nächsten **Feriengebiet „Auf der Au"** vorüber.

Über 2 Kilometer weit erstreckt sich dieses Sommerparadies entlang eines Badesees. An dessen Ende liegt das Gasthaus „Rheinblick", das durchaus hält, was sein Name verspricht. Der Altrhein und der aktive Fluss berühren sich hier und bieten damit eine breite Wasserfläche. Verfahren können Sie sich weiterhin nicht.

Der Weg neben dem Damm gibt verlässlich die Route vor ∿ bei den ersten Häusern von Altrip wieder auf den Damm hinauf ∿ der Weg führt um den Ort herum.

Tipp: Rechts ab führt die Straße zur Fähre, die Sie zur rechtsrheinischen Veloroute Rhein, direkt am anderen Ufer in **Mannheim-Neckarau** bringt.

Altrip ~km 415

⚓ Rheinfähre Altrip–Mannheim-Neckarau, ✆ 06236/398089 od. 3999-30, Betriebszeiten: Mo-Sa 5.30-22.30 Uhr, So/Fei 8-22.30 Uhr

Nach einem weitläufigen Linksbogen hört der Damm auf ∿ rechts auf die **Kreisstraße 12** einbiegen ∿ bereits nach 50 Metern wieder rechts auf einen parallelen Radweg ∿ zwischen einem weiteren Damm und dem See weiter.

Tipp: Baden können Sie erst im unmittelbar anschließenden **Kiefweiher.**

Vorüber am Erholungsgebiet ∿ nach insgesamt 2,5 Kilometern an eine Straße, die rechts zum Yachthafen führt ∿ hier aber geradeaus halten und ein kleines Waldstück durchqueren ∿ mitten in diesem Wald wendet sich der Weg nach links ∿ vor zwei Strommasten nach rechts ∿ 500 Meter später links ∿ an der Vorfahrtstraße (**K 7**) rechts auf den Radweg.

Tipp: Vor Ihnen liegt Rheingönheim, ein Stadtteil von Ludwigshafen.

Rheingönheim (~km 420)

Stadteinwärts, an der Einmündung halbrechts radeln.

Tipp: Hier müssen Sie entscheiden, ob Sie lieber am Rhein entlang durch Ludwigshafen radeln oder aber in einem großen Linksbogen durch den Maudacher Bruch fahren. Auch diese Strecke ist eine offizielle Rheinradwegroute und gut beschildert, in Karte H1 finden Sie diese Möglichkeit orange gekennzeichnet, Routentext s. S. 119. Die Route führt durch das 185 Hektar große Landschaftschutzgebiet entlang einer ehemaligen Rheinschlinge, die heute längst verlandet und trockengelegt ist.

Ehe die B 44 unterquert wird in den rechts abzweigenden Radweg einschwenken ∼ an einem Hafen und schließlich am **Stadion** vorüber.

Tipp: Etwas idyllischer radeln Sie hier rechts ab und dann im Linksbogen unweit des Flussufers.

Geradeaus auf dem Radweg entlang der **Mundenheimer Straße** weiter nach Ludwigshafen hinein ∼ hinter dem **Bürgermeister-Kraft-Platz** und der Kirche rechts in die **Rottstraße** ∼ bei der ampelgeregelten Kreuzung mit der **Rheinuferstraße** links ∼ am Ufer noch unter der Konrad-Adenauer-Brücke hindurch bis zum **Hauptzollamt** ∼ hier linksherum dem Radweg folgen ∼ an der **Zollhofstraße** rechts.

Tipp: Gerade vor Ihnen liegt das Stadtzentrum von Ludwigshafen.

Ludwigshafen   ∼km 424

PLZ: D-67059; Vorwahl: 0621

🛈 **Info-Center**, Berliner Pl. 1, ✆ 512035, www.ludwigshafen.de

🏛 **Stadtmuseum**, Rathaus-Center, Rathauspl. 20, ✆ 5042574, ÖZ: Di 10-17 Uhr, Do 10-19 Uhr, So 13-17 Uhr. Den inhaltlichen Schwerpunkt

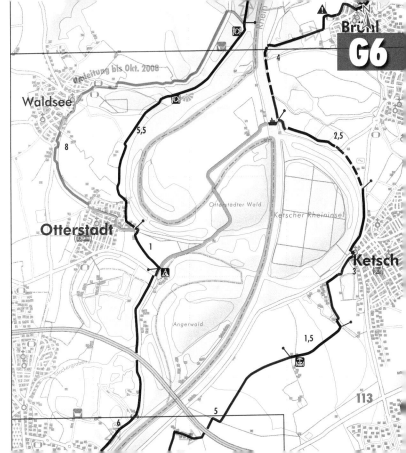

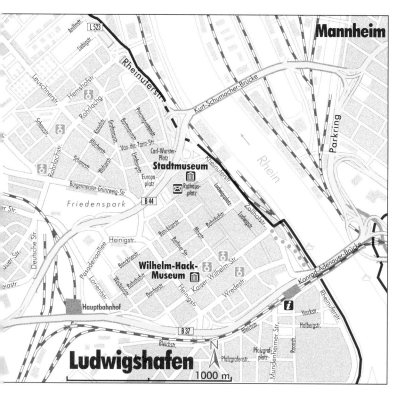

bildet die industrielle Entwicklung Ludwigshafens und seiner Umgebung einschließlich der Geschichte der neuzeitlichen Chemie.

🏛 **Wilhelm-Hack-Museum**, Berliner Str. 23, ☎ 5043411, ÖZ: Di-So 10-17.30 Uhr, Do 10-20 Uhr. Werke der klassischen Moderne im abstrakt-konstruktiv-konkreten Kunstbereich, bis Ende Okt. 2008 geschlossen.

🏛 **Karl-Otto-Braun-Museum**, Ortsteil Oppau, ☎ 5042573, ÖZ: So 10-13 u. 14-17 Uhr. Neben Ortsgeschichte sind Wohnräume und Einrichtungen bürgerlicher und bäuerlicher Wohnkultur sowie landwirtschaftliche Geräte ausgestellt.

🏛 **Schillerhaus**, Ortsteil Oggersheim, ☎ 5042572, ÖZ: Di 17-20 Uhr, Mi-Do 14-17 Uhr, Fr 15-20 Uhr, Sa 10-13 Uhr, So 10-12 Uhr. Das originalgetreu restaurierte Haus, in dem sich der Dichter 1782 auf seiner Flucht aus Stuttgart aufgehalten hatte, präsentiert vollständig die Erstausgaben Schillers.

Der größte Arbeitgeber und Imageträger von Ludwigshafen, das BASF-Werk, war ursprünglich der Ableger eines Mannheimer Unternehmens, das dort seit 1861 Leuchtgas produzierte. *Der Betrieb stellte auch seine anorganischen Vorprodukte selbst her, insbesondere das für die damalige Chemie wichtige Soda. Die nach Ludwigshafen verlegten Werksanlagen dehnten sich durch die raschen chemischen Entdeckungen zunehmend aus und beherrschten bald die gesamte Stadtstruktur. Das Werk erstreckt sich heute 5,4 Kilometer am Rhein entlang, bedeckt eine Fläche von 640 Hektar und verfügt über 20 Kilometer Hafenkais und 190 Kilometer Schienen.*

Tipp: *Die genaue Route ins Stadtzentrum von Mannheim kön-*nen Sie aus Karte J1 oder dem Stadtplan (S. 115) entnehmen; (die textliche Beschreibung der rechtsrheinischen Route finden Sie auf S. 133).

Ausflug nach Mannheim

Nach Mannheim geht die Route auf dem Radweg weiter, der nach der Abzweigung wieder links retour führt ∼ auf der südlichen Seite am neuen Bahnhaltepunkt hinauf zur **Konrad-Adenauer-Brücke.**

Die Brücke am Mannheimer Ufer über eine Schlinge verlassen ∼ an der Radwegkreuzung dem Schild „Zentrum" folgend auf das Schloss von Mannheim zu.

Mannheim   ~km 425 (s. S. 118)

Von Speyer-Lusshof nach Mannheim
am rechten Ufer   30 km

Tipp: Die kartographische Darstellung der Route finden ab der Karte G5.

Für die Weiterfahrt geradeaus die L 722 (⚠) überqueren ∼ dem Straßenverlauf zu den Häusern von **Siegelhain** folgen ∼ hier rechts Richtung Hockenheim ∼ links unter der Autobahn 61 hindurch ∼ an der nächsten Kreuzung rechts ∼ bei der darauf-

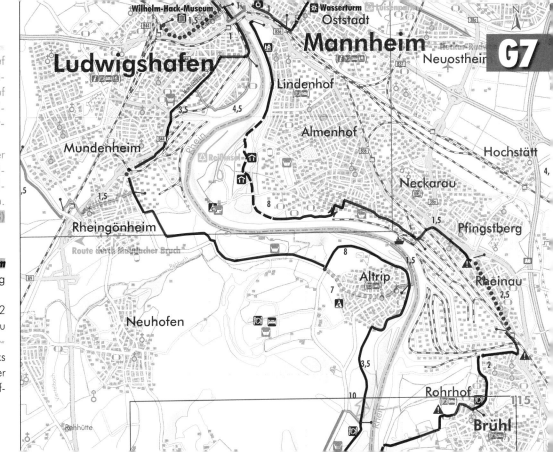

folgenden Abzweigung links ～ immer geradeaus ～ an den Häusern von **Ketschau** gerade vorüber ～ an der T-Kreuzung kurz links ～ bei der nächsten Möglichkeit rechts ～ vor dem Damm gleich wieder links entlang der Siedlung **Hohe Wiese** ～ an der Kreisstraße rechts und am Freibad vorbei ～ an der Querstraße vor der großen Kirche links ～ dem Straßenverlauf in einer Rechtskurve folgen ～ hier zur Linken ein Radweg.

Ketsch   ~km 408

⚠ Ein Stück außerhalb von **Ketsch**, wo sich die Straße vom Altrhein entfernt, trotz unklarer Wegweisung nach links auf einen unbefestigten Radweg abzweigen ～ an der **Landstraße 603** links auf dem parallelen Radweg vorbei an der Köllerfähre, danach in Kurven auf der Asphaltstraße weiter ～ dann auf einem unbefestigten Weg direkt am Ufer weiter ～ wieder auf Asphalt schließlich rechts vom Rhein abwenden ～ noch vor dem Ort links auf den Deich zu ～ ⚠ trotz widersprüchlicher Wegweisung direkt bei der nächsten Abzweigung wieder rechts.

Brühl-Rohrhof

Am Ortsrand links (**Hanfäcker**) ～ dann rechts

in die Straße **Am Altpörtel** ～ geradeaus in die **Lessingstraße** ～ an der Vorfahrtstraße links auf den teilweise sehr holprigen Radweg der **Rheinauer Straße** ～ in Folge dann rechts weiter entlang der **Rohrhofer Straße** ～ am Ende rechts auf den immer noch ziemlich ungepflegten Radweg am **Edinger Riedweg** ～ an der großen Kreuzung links – leider über mehrere Ampeln und zahlreiche nicht abgesenkte Bordsteine (⚠) – schließlich auf den Radweg entlang der Gleise.

Mannheim-Rheinau   ~km 414

Auf Höhe des **Bahnhofes** Mannheim-Rheinau durch die Unterführung ～ auf der anderen Seite links in die **Relaisstraße** und

geradeaus durch Rheinau etwa 2 Kilometer bis zum **Karlsplatz**.

Vor dem **Karlsplatz** links abbiegend die Relaisstraße queren und vorsichtig (⚠ abbiegende Kfz!) auf dem Radweg den Kreisverkehr gegen den Uhrzeigersinn umfahren ～ nach einem Grünbereich in die zur **Casterfeldstraße** tiefergelegene Straße ～ am Ende geradeaus auf den Radweg und nach links mit der Brücke die Bahngleise überquerend bis zum **Kreisverkehr**, an dem es links zur Fähre nach Altrip geht.

Mannheim-Neckarau   ~km 416

⛴ Rheinfähre Mannheim-Neckarau–Altrip, ☎ 06236/398089 od. 3999-30, Betriebszeiten: Mo-Sa 5.30-22.30 Uhr, So/Fei 8-22.30 Uhr

Um den Kreisverkehr herum und hinunter zum **Kraftwerk** ～ links ab am Zaun entlang bis zur Hauptpforte ～ geradeaus über die **Pliensaustraße**, später **Aufeldstraße** und **Marguerrestraße** am **Hallenbad Neckarau** vorüber.

Am **Rheinbadweg** links, das Kraftwerksgelände umfahrend, bis auf den **Rheindeich** ～ nach den Sportplätzen links vom Damm hinunter.

Tipp: Die Veloroute Rhein führt hier geradeaus durch das **Naturschutzgebiet Silberpappel** zum **Strandbad**, dem „Mannheimer Lido" (kostenlos, aber keine offizielle Flussbadestelle) und dem NSG **Reiss-Insel** (Zugang nur über Kuckucks-insel, während der Brutzeit gesperrt) durch den Waldpark zum **Stephanienufer**.

An der Weggabelung zu Beginn des Parkgeländes rechts halten ⤳ an der darauffolgenden Gabelung erneut rechts ⤳ nun dem Wegeverlauf folgen ⤳ eine asphaltierte Straße überqueren ⤳ dieser – aufgrund der zu dünnen Asphaltdecke leider sehr holprige – Weg trägt Sie nun durch den Waldpark bis ans Rheinufer in Mannheim ⤳ am **Stephanienufer** links ⤳ auf der **Rheinpromenade** an der Jugendherberge vorüber durch den Schlosspark bis zur Radwegkreuzung an der Auffahrt zur **Konrad-Adenauer-Brücke**.

Tipp: Über die **Konrad-Adenauer-Brücke** besteht die Möglichkeit, problemlos nach **Ludwigshafen** auf die linksrheinische Route zu wechseln.

An der Radwegkreuzung dem Schild „Zentrum" folgend auf das Schloss von Mannheim zu ⤳ vor dem **Schloss** in einen Weg rechts abbiegend auf die **Otto-Selz-Straße** ⤳ über das **Gleisdreieck** ⤳ links

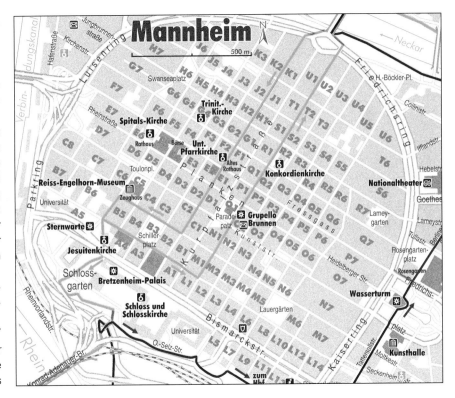

halten, der Beschilderung zum **Hauptbahnhof** folgend (vgl. Stadtplan) ⁓ nach Überquerung des Bahnhofsvorplatzes links in die **Tattersall-straße** zum Wasserturm, dem Wahrzeichen der Stadt ⁓ den **Wasserturm** umfahren und geradeaus über einen Rad- und Gehweg, die **Berliner Straße** und die **Renzstraße** ⁓ am Ende rechts in die **Bassermannstraße** einbiegen und links über die **Lessingstraße** zum Bahnübergang an der gleichnamigen OEG-Haltestelle, unweit des Neckars.

Mannheim (MA)   ~km 425

PLZ: D-68159-68309; Vorwahl: 0621

🛈 Tourist-Information, Willy-Brandt-Pl. 3 (Bahnhofsvorpl.), 68161 MA, ✆ 101011, www.tourist-mannheim.de

⚓ **Schifffahrten am Rhein und im Hafen**, Anlegestelle Kurpfalzbrücke. Fahrten bis nach Worms und Hafenrundfahrten in Mannheim: Betriebszeiten: Juni-Sept., Genaue Zeiten und Kartenbestellung (es wird empfohlen die Karten schon im Voraus zu reservieren) bei der Tourist-Information. Fahrradmitnahme von Auslastung der Schiffe abhängig. Weitere Infos unter www.adfc-bw.de/mannheim/mitnahme.html

🏛 **Reiss-Engelhorn-Museum**, Quadrat C 5 und „Zeughaus" in D 5, ✆ 293-3150, ÖZ: Di-So 11-18 Uhr. Im 1777/78 vom Bildhauer P. A. Verschaffelt geschaffenen Zeughaus sind Kunst und Handwerk des 17. und 18. Jhs., Fayencen und Porzellan, Stadtgeschichte und die Theatersammlung zu sehen.

🏛 **Kunsthalle Mannheim**, Moltkestr. 9, ✆ 2936413/30, ÖZ: Di-So 11-18 Uhr. In der stämmigen Jugendstilanlage aus rotem Sandstein (1907) befindet sich eine der bedeutendsten Galerien Deutschlands. Neben 30.000 Blatt Handzeichnungen, Aquarellen und Druckgraphiken, fast 2.000 Gemälde und Skulpturen; finden Sie hier auch eine Plakat- und eine kunstgewerbliche Glas-, Porzellan- und Keramiksammlung.

🏛 **Landesmuseum für Technik und Arbeit**, Museumstr. 1, ✆ 42989, ÖZ: Di-Sa 9-17 Uhr, Mi 9-20 Uhr, So/Fei 10-18 Uhr. Eine ungewöhnliche Begegnung mit dem „Homo technicus": Besucher durchwandern auf einer Spirale nach unten 250 Jahre technisch-sozialen Wandel und Industrialisierung im deutschen Südwesten. Zum Anfassen wird eingeladen bei Ackerbau, Hausgewerbe oder Handpapierschöpfen; Stationen zeigen Roboter, die Kraftfahrzeuge schweißen, Bier wird nach „alter" Art gezapft oder der dampfbetriebene „Eisenmensch" belebt.

🏛 **Museumschiff Mannheim**, Neckarufer unterhalb der Kurpfalzbrücke, ✆ 1565756, ÖZ: So/Fei 10-18 Uhr. Der Seitenraddampfer (1927) war eines der größten und schnellsten KD-Schiffe am Rhein, konnte über 2.000 Personen befördern und 23 km/h erreichen. Im Original sind Steuerhaus, Maschinen und Telegraph erhalten, 70 Modelle zeigen 2000 Jahre Schifffahrt.

🏰 **Schloss Mannheim**. ✆ 2922890. Das 1720-60 als Residenz der Herrscher von der Pfalz erbaute Schloss zählt weltweit zu den größten Barockanlagen. Die kurfürstliche Machtdemonstration zählt 500 Räume, 1387 Fenster und ihre Stadtfront erstreckt sich über 500 Meter. Nach dem Zweiten Weltkrieg wieder aufgebaut, wurde es zum Sitz der Universität. Von kunsthistorischer Bedeutung sind das Treppenhaus, das originale Bibliothekskabinett der Kurfürstin Elisabeth Auguste, der festliche Rittersaal oder die altkatholische Schlosskirche.

✳ **Wasserturm**. Friedrichsplatz. Mannheims liebstes Denkmal und Wahrzeichen erhebt sich mit 60 m Höhe über dem im Jugendstil mit Wasserspielen angelegten Platz. Errichtet wurde der 19 m dicke Sandsteinkoloss 1888/89, dessen originalgetreuen Wiederaufbau nach 1945 die Bürger gegen den Plan eines modernisierten Turmes erwirkten.

✳ **Paradeplatz**. Quadrat D 1. Diente als zentraler Alarmplatz der Festung und wurde später begrünt. In der Mitte steht ein Brunnen, dessen Pyramide aus allegorischen Bronzefiguren die Greuel des Krieges und die Tugenden des Friedens darstellt (Bildhauer Gabriell Grupello um 1716).

✳ **Planetarium**. Wilhelm-Varnholt-Allee 1, ✆ 415692, Kartentelefon und Auskunft: Di, Do und Fr 10-12 und 14-16 Uhr, Mi 14-19 Uhr, Sa, So/Fei 12.30-16.30 Uhr. Bereits 1927 wurde in Mannheim eines der ersten Planetarien der Welt eröffnet, während des Zweiten Weltkrieges jedoch zerstört. Die heutige Einrichtung verfügt über eine Projektionsfläche von 628 m² und präsentiert ein Weltraumszenario in Form einer Multimediaschau.

- ⓐ **Luisenpark**, Neckarufer, ☎ 410050, ÖZ: Mo-So ab 9 Uhr bis zur Dämmerung; Mai-Aug. bis 21 Uhr. Ursprünglich der Großherzogin Luise um 1900 gewidmet, wurde der 42 ha große Park im Laufe der Zeit zu einer bedeutenden Gartenschau erweitert. 3.000 Baumexemplare aus 140 Arten. Desweiteren versprechen 450 Strauch- und Staudenarten, 25.000 Rosen in 320 Variationen eine botanische Freude. Ein gläsernes Schauhaus zeigt Großreptilien sowie 350 Fischarten in 33 Becken. Besonders ist auch das Chinesische Teehaus.
- 🦋 **Schmetterlingshaus** im Luisenpark, ☎ 410050
- 🚲❀ **Biotopia-Fahrradstation & ADFC-Info-Punkt am Hauptbahnhof**, Heinrich-von-Stephan-Str. 2-4, ☎ 1223077

Besucher von Mannheim brauchen erst gar nicht die Vogelperspektive, um zu merken, dass mit dem alten Stadtkern „etwas los" ist: nach Buchstaben und Zahlen bezeichnete, rechteckige Häuserblocks bilden ein Gitternetz, das idealtypisch den Geist der rationalen Aufklärung widerspiegelt. Die Stadt im Schachbrettmuster einer holländischen Kolonie mit 136 Planquadraten

war allerdings bereits die dritte Stadtgründung um 1700. Zuvor hatten Überschwemmungen, Eisgänge, Sumpfluft und morastige Niederungen die Ansiedlung trotz strategisch wichtiger Lage lange hinausgezögert. Von der Feste Friedrichsburg um 1606 ließ der Dreißigjährige Krieg nicht viel übrig. Auch die mit der starken Zuwanderung aus Frankreich und den Niederlanden eingeleitete wirtschaftliche Blüte endete mit einer völligen Zerstörung Mannheims 1689 im Pfälzischen Erbfolgekrieg. 1720 verlegte Kurfürst Carl Philipp seine Hofhaltung von Heidelberg nach Mannheim und ließ die nach Versailles größte barocke Schlossanlage in Europa errichten. Nach wie vor galt die Orientierung der von Bastionen umgürteten Stadt dem Neckar, nicht dem Rhein als der wichtigsten Wasserstraße.

Mit der Teilung der Pfalz infolge der Revolutionskriege 1803 fiel Mannheim an Baden und wurde zunächst zur unbedeutenden Grenzstadt. Die Schleifung der Bollwerke öffnete jedoch erstmals Blick und Zugang zum Rhein, ab da markieren die Hafenbauten die Entwicklung am deutlichsten. Heute ist Mannheim Mittelpunkt

des urban-progressiven Rhein-Neckar-Dreiecks zwischen Ludwigshafen und Heidelberg und eine „Kulturmeile" von internationalem Rang.

Von Ludwigshafen nach Mainz am linken Ufer 75 km

Im letzten Abschnitt der linksrheinischen Tour erreicht die Route das große rheinhessische Weingebiet, das Bild wird mehr und mehr von lieblichen, rebreichen Hängen geprägt. Die erste Station ist die alte Reichsstadt Worms. Die berühmte romanische Basilika steht für die glanzvolle kaiserliche Zeit dieser Stadt. Die „Weinhauptstadt" der Region, Oppenheim, regt durch das Deutsche Weinbaumuseum an, das landschaftlich Erlebte auch historisch zu erfassen. Vorbei an zahlreichen Weinorten führt der Weg schließlich nach Mainz, in die einst „goldene" bischöfliche Reichsstadt. Der St. Martinsdom ist einer der letzten Höhepunkte der Reise.

In Bezug auf den Bodenbelag und den Straßenverkehr ist dieser Abschnitt sehr abwechslungsreich. Hauptsächlich finden Sie gut befahrbare Radwege vor, allerdings sind auch grob gekiestete Wege darunter. Außerdem müssen Sie zwischen Rheindürkheim und dem Eicher See mit mehr Kfz-Verkehr rechnen.

Tipp: Für alljene, die nicht den Weg entlang des Rheins durch Ludwigshafen radeln möchten, hier nun die Beschreibung der Route durch den Maudacher Bruch.

Durch den Maudacher Bruch

Über die Hauptstraße ∼ links und gleich danach rechts in die **Friedensstraße** ∼ nach der Linkskurve rechts über die B 44 zur **S-Bahn-Station LU-Rheingönheim**.

Weiter parallel zu den Gleisen im **Limburgerhofweg** ∼ unter der Meckenheimer Straße hindurch ∼ danach an der ersten Möglichkeit links in den schmalen Weg ∼ für rund 1,5 Kilometer parallel zur Meckenheimer Straße ∼ geradeaus über die Maudacher Straße ∼ der Beschilderung nach links folgen ∼ vorbei an Sport- und Parkplatz ∼ links über die Brücke ∼ kurz danach rechts ∼ diesem Weg nun für 2 Kilometer durch den **Maudacher Bruch** folgen ∼ nach der Rechtskurve links unter der Speyerer Straße und der A 650 hindurch ∼ geradeaus weiter bis zum Stadtpark.

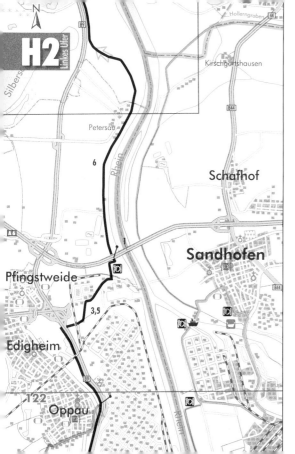

Oggersheim

Unter zwei Straßen hindurch ⟿ in einem Linksbogen durch das Gewerbegebiet ⟿ unter der Sternstraße hindurch ⟿ weiter parallel zu den Gleisen bis zur **S-Bahn-Station LU-Oggersheim.**

Weiter entlang der Gleise ⟿ diese im Anschluss in einem Rechtsbogen überqueren ⟿ links in die **Mittelpartstraße** ⟿ auf dieser Straße nun für rund 2,5 Kilometer ⟿ vorbei an zwei großen Weihern ⟿ beim Stadtteil Oppau rechts halten ⟿ entlang der **H-Schork-Straße** ⟿ die Friesenheimer Straße geradeaus queren.

Oppau

Der Linkskurve in die **Bad-Aussee-Straße** folgen.

Tipp: Hier treffen Sie wieder auf die Hauptroute, s. Karte H1.

Von Ludwigshafen nach Worms   20,5 km

Das Zentrum von Ludwigshafen auf dem Radweg entlang der **Zollhofstraße** verlassen

Worms

⟿ geradeaus unter dem Brückengewirr hindurch ⟿ nun immer weiter auf dem rechtsseitigen Radweg der **L 523** ⟿ dieser wechselt hinter **Friesenheim** auf die linke Straßenseite ⟿ zur Rechten das riesige **BASF**-Gelände ⟿ über die Bahnlinie hinweg ⟿ nun weiter links zwischen Hauptstraße und dem Teich bis zur nächsten Unterführung ⟿ dort rechts ⟿ über einen unbeschrankten Bahnübergang ⟿ an der Querstraße links auf dem Radweg bleiben ⟿ der Radweg führt rechts über die Straße ⟿ an der Gaststätte beim Pfälzerwald-Verein vorüber ⟿ direkt vor der Böschung rechts ⟿ dann in einem Linksbogen unter der Brücke hindurch

~ am Rheindamm nun wieder gen Norden ~ an dem großen **Gutshof** entlang.

Petersau   ~km 435

Der Damm nähert sich der Bundesstraße ~ an der Querstraße bei der Siedlung **Oberer Busch** praktisch geradeaus weiter ~ beim Eckbach halblinks in die schnurgerade Straße bis zum nach rechts abzweigenden Dammweg am Altbach.

Tipp: Von hier aus können Sie nun entweder geradeaus ins Zentrum von Worms hineinfahren, oder Sie radeln in Rheinnähe am Damm entlang. Im Ortsgebiet müssen Sie dann linksherum dem Hafen ausweichen, bevor Sie am Naturfreundehaus wieder an den Rhein stoßen und die Nibelungenbrücke unterqueren.

Geradeaus auf der **Philosophen**straße am **Tierpark** vorbei und über die B 9 (hier Nibelungenring) hinweg bis zur **Ludwigstraße** ~ hier rechts einbiegen.

Worms   ~km 443

PLZ: D-67547 bis 67551; Vorwahl: 06241

🛈 **Tourist-Information**, Neumarkt 14, ✆ 25045, www.worms.de

🏛 **Jüdisches Museum - Raschi-Haus**, Hintere Judeng. 6, ✆ 8534707, ÖZ: April-Okt. Di-So 10-12.30 u. 13.30-17 Uhr; Nov.-März Di-So 10-12.30 u. 13.30-16.30 Uhr

🏛 **Nibelungenmuseum**, Fischerpförtchen 10, ✆ 202120, ÖZ: Di-So 10-17 Uhr, Fr 10-22 Uhr; während der Festspiele (12.-27. Aug.) bis in die Abendstunden geöffnet.

🏛 **Museum der Stadt im Andreasstift**, Weckerlingplatz 7, ✆ 9463911, ÖZ: Di-So 10-17 Uhr. Die ur- und frühgeschichtliche Abteilung zeigt eindrucksvolle zoologische Reste sowie menschliche Werkzeuge.

🏛 **Kunsthaus Heylshof**, Stephansg. 9, ✆ 22000, ÖZ: Mai-Sept. Di-So 11-17 Uhr; Okt.-April Di-Sa 14-17 Uhr, So/Fei 11-17 Uhr. Privatstiftung mit

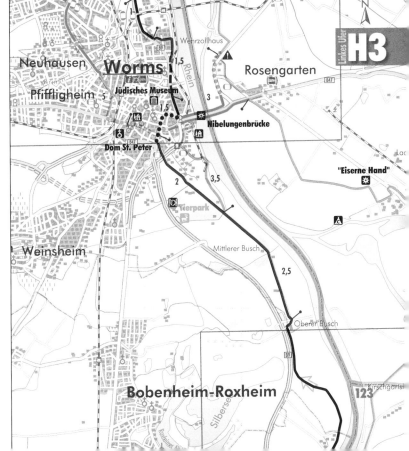

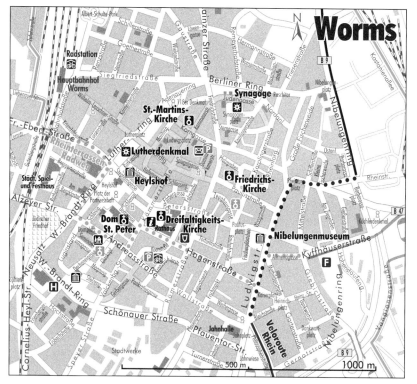

exquisiten Sammlungen: Gemälde, Porzellan, Kleinplastiken, Gläser, Keramik, Grafiken.

Kaiserdom St. Peter, ÖZ: April-Okt. 9-17.45 Uhr; Nov.-März 9-16.45 Uhr. Erbaut im 11./12. Jh., gilt als Hauptwerk der oberrheinischen romanischen Baukunst.

Synagoge (1174/75), Judengasse, ÖZ: April-Okt. 10-12.30 u. 13.30-17 Uhr, Nov.-März 10-12 u. 14-16 Uhr. Im Gebäude befinden sich auch eine Frauensynagoge und ein jüdisches Bad. Führungen.

Liebfrauenkirche. Bedeutender spätgotischer Bau (14./15. Jh.) inmitten der Weingärten mit der berühmten Liebfrauenmilch.

„Heiliger Sand", am Willy-Brandt-Ring. Einer der ältesten jüdischen Friedhöfe in Europa, beherbergt zirka 2.000 Gräber seit 1076. Tagsüber geöffnet.

Lutherdenkmal (1868), Lutherplatz.

Das Streben um Kirchenreform, die Reformationszeit und der Lutherreichstag zu Worms von 1521, dargestellt in Figuren und Emblemen.

Röding, Kranzbühlerstr. 3, ✆ 23626

Wedel, Mainzer Str. 1, ✆ 94612-0

Kött, Lutherring 31, ✆ 22273

Als eine der wirtschaftlich stärksten Städte des Hochmittelalters besaß die Freie Stadt Worms großes politisches Gewicht. 1122 wurde hier das Wormser Konkordat abgeschlossen, das den Investiturstreit zwischen dem Papst und dem Kaiser beendete. Die Geisteshaltung dieser Zeit drückt sich deutlich in dem über der Saliergruft errichteten, spätromanischen Dom aus. Von den zahlreichen Wormser Reichs- und Fürstentagen war jener von 1495 – er befasste sich mit Reichsreform – und der von 1521 am bedeutendsten. Auf diesem Reichstag wurde im Wormser Edikt über Luther und seine Anhänger die Reichsacht verhängt, nachdem sie sich weigerten, die über Kirche und Papsttum geäußerten Lehren zu widerrufen. Auch von der jüdischen Gemeinde in Worms gingen in dieser Zeit bedeutende geistige und wirtschaftliche Impulse bis weit in den Osten Europas aus.

Mit dem Beginn der Neuzeit setzte der Niedergang der einstigen Metropole ein, der unter anderem auch auf eine Erstarrung in kaiserlich-reichsstädtischen Traditionen zurückzuführen ist. So lehnte Worms 1659 das Angebot des Kurfürsten Karl Ludwig ab, Residenzstadt der Pfalz zu werden. Statt dessen blühte Mannheim auf. Erst mit der Industrialisierung im 19. Jahrhundert wuchs die Stadt wieder stärker und besitzt

heute noch bedeutende Entwicklungschancen.

Tipp: Um aufs rechte Rheinufer zu wechseln, radeln Sie durch die **Allmendgasse** und geradeaus weiter auf dem Radweg der **Kyfhäuserstraße** und auf der **Nibelungenbrücke** entlang der **B 47** hinüber bis **Lampertheim-Rosengarten**.

⚠ Für die linksrheinische Weiterfahrt nach Mainz gibt es zwei Varianten: Die **Veloroute-Rhein** verläuft mittlerweile auch in diesem Abschnitt ufernah über **Rheindürkheim**, **Ibersheim** und **Hamm** zur **Rheinfähre** vor **Nierstein**.

Der als solcher beschilderte **Rheinterrassen-Radweg** entfernt sich hingegen vom Fluss und führt dafür sehr idyllisch durch die Weingärten und zahlreichen Winzerorte am Rand des rhein-

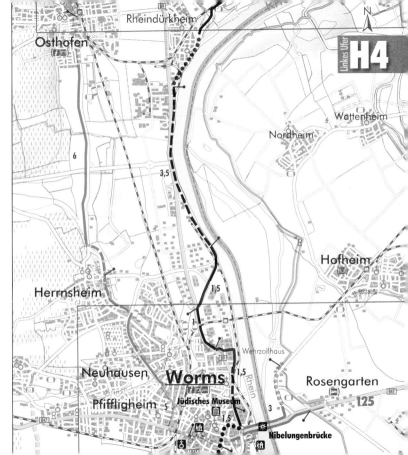

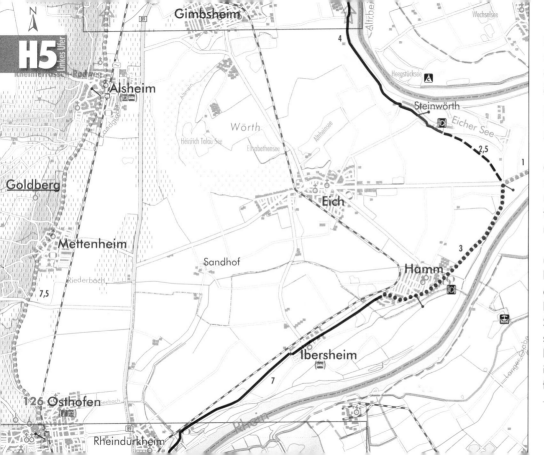

hessischen Hügellandes bis **Oppenheim** und weiter zur **Fähre Nierstein**. Genauere Infos zu dieser Route finden Sie im *bikeline*-Radatlas Rheinhessen.

Von Worms zur Fähre Nierstein   35,5 km

Aus der Innenstadt kommend können Sie auf Radstreifen entlang der **Ludwigstraße** rechtsherum über **Rheintor-** und **Barbarossaplatz** zum **Nibelungenring** (B 9) fahren, dort dann links auf den straßenparallelen Radweg.

Die Veloroute Rhein selbst verläuft direkt unter der großartigen **Nibelungenbrücke** hindurch ↝ geradeaus an der Schautafel der Veloroute vorbei auf der **Kastanienallee** ↝ an der Festwiese entlang und an der Straße **Am Rhein** links ↝ an der Vorfahrtstraße rechts auf den gekiesten Radweg entlang der **B 9** ↝ vom Radweg bald rechts in die **Hafenstraße** ↝ dem Straßenverlauf folgen ↝ an der nächsten Kreuzung links – „alle Richtungen" – in die **Petrus-Dorn-**

Straße ⌇ es gibt einen gepflasterten Radweg ⌇ wieder an der **B 9** rechts Richtung Mainz.

Auf dem asphaltierten Radweg unter der Eisenbahn hindurch ⌇ nach zirka 1,2 Kilometern direkt nach der Mauer rechts in die Straße **Im Pfaffenwinkel** geradeaus weiter an der **Pfrimm** entlang ⌇ direkt am Rhein über die Gleise und nach links ⌇ nun am Rhein entlang ⌇ in der Linkskurve der Straße geradeaus weiter auf den Kiesweg ⌇ dieser wird breiter und gepflastert ⌇ schließlich eine Asphaltstraße und von dieser rechts abbiegen auf einen Kiesweg ⌇ dieser verläuft nun weiter entlang des Rheins.

Nach zirka einem Kilometer verläuft der asphaltierte Radweg direkt neben der **B 9** ⌇ kurz darauf bei der Gaststätte Rheinperle rechts in die Straße **Am Fahrt** ⌇ in der Linkskurve der Straße geradeaus weiter auf dem Kiesweg ⌇ dieser mündet im Ortsteil **Dammstraße** auf die Straße ⌇ geradeaus weiter auf der **Rheinuferstraße** nach Rheindürkheim ⌇ hier an der Vorfahrtstraße rechts.

Rheindürkheim ~km 451

Auf der Vorfahrtstraße Richtung Ibersheim ⌇ weiter auf der **Ibersheimer Straße (K 15)** ⌇ vorbei an einem Restaurant und am Sportplatz ⌇ dem Verlauf der Dammstraße bis nach Ibersheim folgen.

Ibersheim ~km 455

Auf der **Rheindürkheimer Straße** in den Ort hinein ⌇ weiter geradeaus Richtung Hamm auf der **Hammer Straße**.

Hamm ~km 458

Dem Hauptstraßenverlauf folgen ⌇ links auf die **Landdammstraße** ⌇ an der Kreuzung geradeaus Richtung Gernsheim/Gernsheimer Fahrt ⌇ aus Hamm hinaus, bis Mainz sind es noch 36 Kilometer ⌇ die Vorfahrtstraße geradeaus queren.

Tipp: Rechts kommen Sie entlang der **L 440** zur Gernsheimer Fähre, falls Sie ans andere Ufer nach Gernsheim übersetzen wollen. **Rheinfähre Eich-Gernsheimer Fahrt** – Gernsheim, ✆ 06158/915777, Betriebszeiten: April-Sept. Mo-Sa 5.30-21 Uhr, So/Fei 7-21 Uhr; Okt.-März Mo-Fr 5.30-

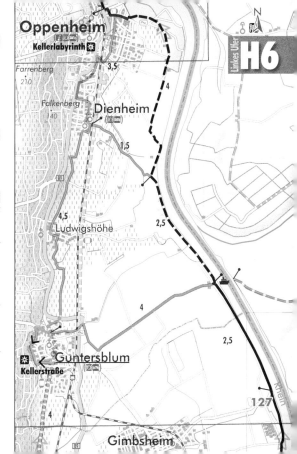

21 Uhr, Sa 5.30-20.30 Uhr, So/Fei 7-20.30 Uhr

Auf der Veloroute Rhein den Schildern Richtung Nierstein folgen ~ bei den ersten Wochenendhäusern links auf den Anliegerweg ~ der Weg ist gekiest und holprig und führt am **Eicher See** entlang ~ an der Asphaltstraße geradeaus.

Tipp: Rechts kommen Sie zum Restaurant am Eicher See.

Dem Verlauf der Asphaltstraße auf dem Damm folgen ~ nach den Häusern, in einem Rechtsbogen ans Rheinufer und nun direkt am Ufer weiter ~ vorbei an der **Hühnerfarm Im Königsgarten** bei Gimbsheim und an der Siedlung **Gimbsheimer Fahrt** ~ weiter auf dem Kiesweg durch das Naturschutzgebiet bis zur Rheinfähre.

Tipp: Die Fähre bringt Sie hinüber zur Insel **Kühkopf**, auf der Sie zur rechtsrheinischen

Oppenheim – Rathaus und Katharinenkirche

Route radeln können, oder sogar durch den Stockstadt-Erfelder Altrhein direkt bis **Erfelden**.

Rheinfähre
Guntersblum-Rheinhof ~km 472

⛴ Rheinfähre Guntersblum-Rheinhof–Kühkopf, ☎ 06249/8731, Betriebszeiten: April-Okt. nur So/Fei 9-9.45, 11.30-11.45, 13-16.15 u. 18-18.45 Uhr

⛴ Fähre nach Erfelden (30 min.), ☎ 06249/8731, Betriebszeiten: April-Okt. nur So/Fei 10.45 u. 17.15 Uhr (nicht bei niedrigem Wasserstand und nicht an Wochenfeiertagen in Rheinland-Pfalz)

Links hinauf am Restaurant vorbei ~ gleich wieder rechts zum Rheinufer und weiter auf dem Kiesweg entlang des Stroms durch das nun folgende **Naturschutzgebiet Fischsee**.

Nach zirka 3,5 Kilometer von diesem Weg rechts ab und weiter auf dem Rheindamm ~ direkt am **Segelflugplatz Oppenheim** links halten und nun an diesem entlang ~ vorbei an

der Flugzeughalle ~ durch das Oppenheimer Wäldchen auf dem Dammweg ~ es geht an jeder Kreuzung geradeaus um die rot-weiß gestreiften Pfosten herum ~ an der Rückseite der **Kläranlage** entlang ~ dieser Dammweg mündet schließlich an der Festwiese in Oppenheim in die **Rheinstraße**.

Oppenheim
Vorwahl: 06133; PLZ: D-55276

🅸 Tourist-Information, Merianstr. 2, ☎ 490914, www.stadt-oppenheim.de

🏛 Deutsches Weinbaumuseum, Wormser Str. 49, ☎ 2544, ÖZ: Di-So 13-17 Uhr u. n. V. Die Sammlung umfasst die Entwicklung des Weinbaus und der damit verbundenen Techniken.

🅱 St. Katharinenkirche. Chor und Querschiff des gotischen Kirchenbaus gehen auf das 13. Jh. zurück.

✳ Oppenheimer Kellerlabyrinth. „Die Stadt unter der Stadt" beeindruckt mit unzähligen Räumen und Gängen. Führungen: Sa, So/Fei, sowie nach vorheriger Buchung, näheres bei der Tourist-Information.

✳ Oppenheimer Festspiele. Jährlich von Sept.-Okt. In deren Verlauf werden eigene Theaterproduktionen aber auch Gastspiele anderer Theater und namhafter Künstler und Interpreten präsentiert. Festspielbüro ÖZ: Mo-Fr 8-12 Uhr und 13-17 Uhr,

Nierstein

☎ 490915

Oppenheim ist, umgeben von Weinbergen, die führende rheinhessische Weinstadt, die ihre berühmten Weißweine in alle Welt exportiert. Von der Wichtigkeit des Weines in dieser Region kann man sich im Weinbaumuseum und im Oppenheimer Kellerlabyrinth überzeugen. Die engen Gassen des Stadtzentrums führen den Besucher an schmucken Fachwerkhäusern, mittelalterlichen Türmen und Kirchen vorbei zum Marktplatz, dem Herzstück Oppenheims.

Auf der **Rheinstraße** bei der Fahrschule links hinunter ∿ vorbei an der Bushaltestelle und geradeaus ∿ gleich nach dem Sportplatz

rechts in die **Dammstraße** ∿ links in die **Fährstraße** und noch vor der Bundesstraße rechts einbiegen ∿ Oppenheim auf dem straßenbegleitenden Radweg entlang der **B 9** verlassen ∿ bald vor zur Fähre Nierstein.

Tipp: Betriebszeiten **Fähre Nierstein-Kornsand**, ☎ 06133/5195, Betriebszeiten: 15. März-15. Okt. 6-21.45 Uhr; 16. Okt.-14. Mörz 7-21 Uhr.

Von der Fähre Nierstein nach Mainz   19,5 km

Auf dem Radweg die **B 9** begleiten ∿ bald zu einem der berühmtesten Weinorte der Gegend, Nierstein ∿ die Radroute führt nun direkt am Ufer weiter ∿ erst an der platzähnlichen Aufweitung links über die B 9 (⚠) in die **Rheinstraße** ∿ wenn Sie dieser weiter folgen, befinden Sie sich bald am zentralen Marktplatz von Nierstein.

Nierstein   **~km 482**
PLZ: D-55238; Vorwahl: 06133

🛈 Verkehrs-Verein e. V., Bildstockstr. 10, ☎ 5111,

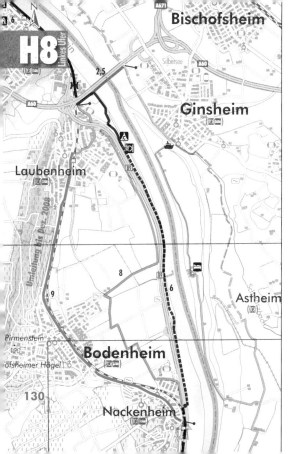

www.nierstein.de

🏛 **Paläontologisches Museum**, Marktpl. 1, ☎ 58312, ÖZ: So 11-16 Uhr u. n. V.

🔲 **Römisches Sironabad**, am südlichen Ortsausgang, Schlüssel bei der Gemeindeverwaltung.

🔲 **Niersteiner Weinspiegel**, großer Weinprobierkeller im Rathaus, Bildstockstr. 10, ☎ 960506; Weinprobe mit Fachleuten.

Die Route biegt rechts in die **Abtsgasse** ab ↝ wenig später im Rechts-Links-Schwenk auf dem **Kiliansweg** weiter ↝ bald beginnt eine äußerst reizvolle Fahrt durch die Weingärten ↝ die Bahn an einem beschrankten Bahnübergang überqueren, wo der Weinbergsweg in die Landstraße aus Richtung Nackenheim mündet ↝ hinter der Schranke sofort links ab auf den Schotterweg ↝ weiter zum Nackenheimer Bahnhof ↝ somit geradewegs nach Nackenheim.

Tipp: Aufgrund von Bauarbeiten, die voraussichtlich bis Dezember 2008 dauern werden, radeln Sie laut der beschilderten Umleitung vom Bahnhof Nackenheim über Bodenheim nach Laubenheim. Diese Route finden Sie orange gekennzeichnet in der Karte H8.

Nackenheim ～km 486

Im Ort gleich nach dem Bahnhof führt rechts eine Unterführung unter der Bundesstraße hindurch zum Rhein (hier **Mühlarm**) hin.

Tipp: Falls Sie sich vom großen Fluss in aller Abgeschiedenheit verabschieden wollen und Sie ein holpriger, etwas vernachlässigter Uferweg daran nicht hindern kann, zweigen Sie hier mit der Hauptstrecke der Veloroute Rhein rechts ab. Fühlen Sie sich aber auf befestigten Wegen wohler, so empfehlen wir Ihnen folgende Variante.

Via Bodenheim
nach Laubenheim   8 km

Bleiben Sie in **Nackenheim** auf der kleinen Straße diesseits der Bundesstraße, nicht unter der B 9 hindurch ∿ nach 700 Metern, noch vor dem letzten Haus der Siedlung, links in die **Pommartstraße** ∿ an der T-Kreuzung rechts an den schmalen, gepflasterten Weg halten.

Auf eine Verbindungsstraße zu ∿ diese überqueren ∿ danach links ∿ bei erster Gelegenheit wieder rechts ∿ auf Asphalt durch die Felder ∿ ab der nächsten Kreuzung geht es um 150 Meter nach links versetzt geradeaus weiter.

Mainz, das Endziel dieser oberrheinischen Radtour, macht sich in der Ferne bereits bemerkbar. Im Hintergrund erheben sich die Berge des Taunus, vor denen der Rhein nach Westen ausweichen muss.

Vor einer Baumgruppe links ∿ die Radroute verläuft rechts weiter ∿ an die Schnellstraße **B 9** und davor links weiter ∿ nach 3 Kilometern am Ortsrand von

Laubenheim der Unterführung nach rechts folgen ~ am Ufer trifft die Variante an der **Lotharyaue** wieder auf die ufernahe Hauptroute, die nach links führt, beschildert Richtung Mainz-Zentrum.

Die Hauptroute verläuft ab **Nackenheim** immer direkt am Flussufer – zwar recht idyllisch, aber auf holprigem, von den Autos der Angler zerfahrenen Untergrund ~ gut 6 Kilometer verbringen Sie hier, leider stets im Lärmbereich der **B 9** ~ am Abzweig Richtung Bodenheim nach gut 2 Kilometern haben Sie nochmal die Möglichkeit, zur Variante und damit auf festen Straßenbelag zu wechseln ~ ansonsten ist sehnlichst erwarteter Asphalt erst wieder nach rund 6 Kilometern am **Campingplatz** von **Laubenheim** erreicht, der geradeaus passiert wird ~ am Parkplatz rechts weiter am Ufer halten; hier mündet von links die Variante ein ~ vor der Autobahnbrücke wartet in der **Lotharyaue** ein „Bootshaus" mit Gastlichkeit auf.

Laubenheim   (~km 492)

Der Weg zweigt vom Ufer ab ~ parallel der Autobahn geht es über einen Steg ~ danach

Mainz – St. Stephan

bei der Querstraße rechts ~ unter der Brücke am Fuß- und Radweg weiter ~ an der nächsten Kreuzung den Radübergang benutzen und den Weg rechts der Bahn fortsetzen.

Mainz-Weisenau   (~km 495)

Unbehelligt vom Autoverkehr nun auf die Zementwerke zuradeln ~ nach Queren zweier Bahngleise wieder zum Rheinufer ~ am Parkstreifen entlang in aller Ruhe Mainz nähern ~ hinter der **Eisenbahnbrücke** gabelt sich der

Weg ~ die Route bleibt oben am Damm ~ vorüber am **Winterhafen** über eine Brücke ~ am grob gepflasterten Kai rechts halten ~ nach rund 600 Metern auf Höhe des **Fischtorplatzes** links.

Zum Hauptbahnhof von Mainz geht's am besten durch die kleine Grünanlage am **Fischtorplatz** schiebend bis über die B 9 (Rheinstraße) in die Fußgängerzone ~ geradewegs am **Dom** vorbei noch schieben ~ geradeaus weiter auf der **Ludwigsstraße** ~ rechts kurz auf den Radweg an der **Schillerstraße** ~ halblinks weiter auf den Radweg an der **Münsterstraße** ~ diagonal über die große Kreuzung mit der **B 40** ~ linksseitig führt ein Radweg direkt zum **Bahnhof**.

Mainz   (~km 498)

PLZ: D-55116; Vorwahl: 06131

🛈 **Touristik-Centrale**, Brückenturm am Rathaus, ☎ 286210, www.mainz.de

🏛 **Gutenberg-Museum**, Liebfrauenplatz 5, ☎ 122640, ÖZ: ganzjährig Di-Sa 9-17 Uhr, So 11-15 Uhr. Hauptattraktionen des Museums sind die rekonstruierte Gutenberg-Werkstatt und Exemplare der berühmten, 1452-55 gedruckten, 42-zeiligen Gutenberg-Bibel.

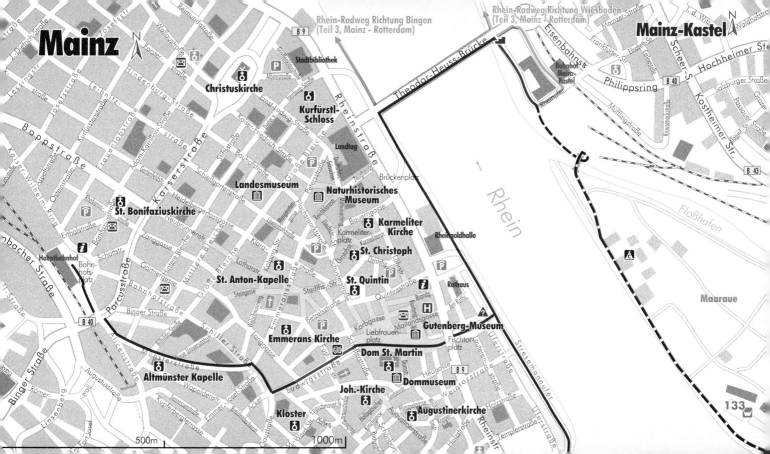

Mainz

Mainz-Kastel

Christuskirche

Kurfürstl-Schloss

Stadtbibliothek

Landtag

Landesmuseum

Naturhistorisches Museum

Brückenplatz

Karmeliter Kirche

St. Bonifaziuskirche

St. Christoph

Rheingoldhalle

Hauptbahnhof

St. Anton-Kapelle

St. Quintin

Rathaus

Emmerans Kirche

Liebfrauen-platz

Gutenberg-Museum

Fischtor-platz

Altmünster Kapelle

Dom St. Martin

Dommuseum

Joh.-Kirche

Kloster

Augustinerkirche

Rhein

Floßhafen

Maaraue

Philippsring

Bahnhof Mainz-Kastel

133

🏛 **Landesmuseum Mainz**, Große Bleiche 49-51, ☏ 28570, ÖZ: Di 10-20 Uhr, Mi-So 10-17 Uhr. Eines der ältesten Museen Deutschlands. Es besitzt bemerkenswerte Exponate von der Steinzeit bis zur Gegenwart.

🏛 **Naturhistorisches Museum**, Mitternachtsgasse/Reichklarastr. 1, ☏ 122646, ÖZ: Di 10-20 Uhr, Mi 10-14 Uhr, Do-So 10-17 Uhr. Größte naturkundliche Sammlung von Rheinland-Pfalz.

🏛 **Dom- und Diözesanmuseum**, Domstr. 3, ☏ 253346, ÖZ: Di-So 10-17 Uhr. Kirchliche Kunst aus zwei Jahrtausenden.

🏛 **Römisch-Germanisches Zentralmuseum**, Kurfürstliches Schloss, ☏ 91240, ÖZ: Di-So 10-18 Uhr. Perfekte Nachbildungen und Originalstücke bieten einen faszinierenden Einblick in die Vorgeschichte, die römische Kultur und das frühe Mittelalter.

🏛 **Museum für antike Schifffahrt**, Neutorstr. 2b, ☏ 286630, Ehemalige Markthalle am Südbahnhof, ÖZ: Di-So 10-18 Uhr. Ausgestellt sind die im Jahre 1982 entdeckten römischen Ruderboote aus dem 4. Jh. n. Chr.

🏛 **Museum Castellum**, Reduit am Rheinufer, ☏ 06134/62993, ÖZ: So 10.30-12.30 Uhr. In einer Trajanushalle mit Exponaten einer einzigartigen Epoche arbeitet das Museum Castellum die römische Geschichte der Brückenkopfgemeinde auf.

🗗 **Dom St. Martin**, Haupteingang am Markt, ÖZ: März-Okt. Mo-Fr 9-18.30 Uhr, Sa 9-16 Uhr, So 12.45-15 u. 16-18.30 Uhr; Nov.-Feb. Mo-Fr 9-17 Uhr, Sa 9-16 Uhr, So 12.45-15 u. 16-17 Uhr.

Die nunmehr 1.000-jährige Kathedrale zählt als einer der 3 deutschen Kaiserdome mit Worms und Speyer zu den bedeutendsten Leistungen romanischer Baukunst am Oberrhein und zu den frühesten monumentalen Gewölbebauten in Deutschland.

🗗 **Stiftskirche St. Stephan**, Stephansplatz, ÖZ: tägl. 10-12 u. 14-17 Uhr; Dez.-Jan. Mo-Sa 10-12 u. 14-16.30 Uhr, So 14-17 Uhr. Führungen auch über das Pfarramt. Die gotische Hallenkirche (ab 1257) mit beachtenswertem, spätgotischem Kreuzgang besitzt neun Glasfenster aus der Hand Marc Chagalls.

🗗 **Kurfürstliches Schloss**, Ecke Große Bleiche und Rheinstr. Als Residenz und Nachfolgebau der gotischen Martinsburg (von 1481) in mehreren Phasen von der Mitte des 17. bis Mitte des 18. Jhs. errichtet.

✴ **Schönborner Hof**, Schillerstr. Spätrenaissance-Palais (1670) der Familie des Kurfürsten Johann Philipp von Schönborn, ursprünglich mit weitläufigem Garten. Auf dessen Nordteil wurde 1865 das Proviantmagazin der Bundesfestung errichtet.

✴ **Eisenturm**, Rheinstr. Der Name der ehemaligen Stadttoranlage aus der Zeit um 1200 kommt vom Eisenmarkt am Rheinufer.

Am Zusammenfluss von Rhein und Main entwickelte sich Mainz dank der günstigen Lage schon früh zum bedeutenden Handels- und Ankerplatz. Nach der Völkerwanderungszeit vollzog sich der Wiederaufstieg unter den Bischöfen. Der bedeutenden politischen Stellung des Mainzer Erzbischofs als Erzkanzler des Reichs wurde mit dem um 1000 begonnenen Bau des dritten Kaiserdomes am Rhein Ausdruck verliehen. An diese Epoche erinnert die Bezeichnung „Mainz, das goldene Haupt des Reiches". Der Zeit der Reichstage folgte eine Blüte der Wissenschaften und des Gewerbes: Um 1450 erfand der Mainzer Johannes Gutenberg den Buchdruck mit beweglichen Lettern. 1476 wurde die Universität gegründet.

Später nahm die militärische Bedeutung von Mainz zu, während die Wirtschaftliche sich nach Frankfurt am Main verlagerte. 1792/93 befreiten sich die Bürger in der Mainzer Republik von der fürstlichen Herrschaft, und in der darauf folgenden französisch bestimmten Ära begann der Ausbau der Stadt als Festung. Nach 1814, in der Zeit der Restauration, gipfelte diese Entwicklung in der Funktion als Hauptbollwerk des Deutschen Bundes. Der enge Festungsgürtel beeinträchtigte bis um die Wende zum 20. Jahrhundert die wirtschaftliche Entwicklung und Ausdehnung der Stadt.

Von Mannheim nach Mainz am rechten Ufer 94 km

Im letzten Abschnitt der rechtsrheinischen Route geht es in geschützter Dammlage direkt durch die Rheinauen. Mit den Naturschutzgebieten Biedensand und Kühkopf im hessischen Ried erleben Sie die Vielfalt der Natur und genießen die Beschaulichkeit dieser eindrucksvollen Landschaft. Der Rhein bleibt fast immer in Sichtweite. Ein Höhepunkt der Radtour ist der Ausblick auf die Mainmündung, wo der Schiffsverkehr in den Rhein ein- bzw. ausfährt. Mit Blick auf Mainz fahren Sie weiter zum sehenswerten Kurfürstlichen Schloss und ereichen somit den Endpunkt der Radtour am rechtsrheinischen Ufer.

Am rechten hessischen Ufer fahren Sie meist in Rheinnähe auf befestigten Wegen mit Blick auf die gegenüberliegenden Weinhänge nach Mainz.

**Von Mannheim nach
Lampertheim-Rosengarten bei Worms   22,5 km**

Der letzte Abschnitt der Rhein-Radtour beginnt am linken Neckarufer in Mannheim ~ entlang der Kastanienreihe flussabwärts ~ nach einer schräg über den Fluss verlaufenden, schmalen Fußgängerbrücke zur größeren **Kurpfalzbrücke**, wo auch die Straßenbahn endet.

Tipp: Hier legen die Schiffe Richtung Heidelberg oder Worms an. Ein ständiger Gast ist das **Museumsschiff Mannheim**.

Unter der **Kurpfalzbrücke** hindurch.

Tipp: Wenn Sie geradeaus weiterfahren, erreichen Sie einen asphaltierten Weg am Ufer (**Neckarvorland**, bei Hochwasser überflutet), der Sie ein gutes Stück flussabwärts wieder auf die ausgeschilderte Route führt.

Für die Hauptroute auf die Brücke hinauf ~ über den Neckar ~ auf der anderen Seite bei erster Gelegenheit links und auf dem linksseitigen Radweg der **Dammstraße**, später **Bunsenstraße** immer geradeaus.

Links liegt der Hafen von Mannheim ~ nach einem Kilometer die **Kammerschleuse** zwischen Neckar und Industriehafen überqueren ~ danach gleich links ab (**An der Kammerschleuse**) ~ der Weg führt weiter zur Neckarmündung in den Rhein ~ 2 Kilometer seit dem Steg an der **Gaststätte „Orderstation"** den Weg nach rechts zu einer quer verlaufenden Straße am Hochwasserdamm ~ diese führt links zur kleinen **Fähre** ~ mit deren Hilfe den Altrhein überqueren.

Sandhofen   (~km 431)

⛴ Fähre Friesenheimer Insel–Sandhofen, ☎ 0160/928683072 (Fährmann Willi Bauer) od. 0621/311280 (Gasthaus Dehus, Friesenheimer Insel), Betriebszeiten: Mai-Sept. 9-20 Uhr; 15. März-30. April u. 1.-31. Okt. 9-18 Uhr bei Bedarf (bitte tel. anmelden)

Tipp: Außerhalb dieser Zeiten müssen Sie der Straße nach rechts folgen und den zwar

Mannheim

ebenfalls beschilderten, jedoch völlig unromantischen Umweg über die Altrheinbrücke nehmen. Auf der nördlichen Seite führt eine befahrbare Rampe zur Brücke, ansonsten eine flache Treppe.

Drüben in **Sandhofen** gleich nach Passieren des Dammes links ~ auf einem gut ausgebauten Asphaltweg wieder am Damm entlang ~ auf eine steinerne Bogenbrücke zu ~ hinter dieser **Autobahnbrücke** weiter neben dem Damm ~ 700 Meter danach auf den Damm hinauf ~ Bauernhöfe mit großen Scheunen und Hecken bestimmen nun das Bild ~ der nächsten Querstraße kurz nach rechts folgen ~ gleich wieder am Damm entlang ~ ab dem **Pumpwerk** führt am Damm ein Feldweg weiter ~ gut befahrbar ~ am **Badesee** von Lampertheim vorüber.

Tipp: Bei der nächsten Abzweigung können Sie links das **Naturschutzgebiet Lam-**

pertheimer Altrhein erkunden oder aber einen Abstecher rechts in den Ort unternehmen.

Lampertheim (~km 440)

PLZ: 68623; Vorwahl: 06206

- **🄸 Rathaus-Service** im Haus am Römer, Domgasse 2, ✆ 935100, www.lampertheim.de
- **🏛 Heimatmuseum Lampertheim**, Römerstr. 21, ✆ 935321 od. 51155, ÖZ: 1. und 3. So im Monat 10-12.30 Uhr, April-Sept. an den übrigen So 14-17 Uhr. Eintritt und Führungen sind kostenfrei, Führungen sind vorher zu vereinbaren. Das Museum befindet sich in einem Bauernhof aus dem Jahre 1737 und erzählt vom Handwerk, alten Bräuchen und von der Geschichte der Stadt.
- **🄸 Pfarrkirche St. Andreas**. 1770 erfolgte die Grundsteinlegung im Auftrag des St.-Andreas-Stiftes zu Worms. An der Ostseite befindet sich eine Gedenkstätte des 1945 hingerichteten Jesuitenpaters Alfred Delp.
- **🄸 Vogelpark Lampertheim**, Am Invalidenweg, ✆ 12356, ÖZ: März-Okt. So 9-18 Uhr. Hier gibt es 700 Vögel in über 100 Arten, darunter Störche, Kraniche, Gänse, Enten, Papageien, Großsittiche, Waldvögel und exotische Prachtfinken zu sehen.

Es gibt heute kaum noch Zweifel, dass der Ort während der fränkischen Besiedlung entstand und zwar als Heim des Lantberth. Aus 832 stammt die erste urkundliche Erwähnung. 1387 wurde Lampertheim zur Hälfte an die Kurpfalz verpfändet, 1544 lutherisch reformiert, im Pfalz-Bayern-Krieg und im Dreißigjährigen Krieg wurde es zweimal niedergebrannt. Nach den Kriegen erholte sich der Ort wieder, alles wurde renoviert; das Rathaus und das Rentamt (Residenz- und Jagdschloss) entstanden in dieser Zeit. 1951 erhielt Lampertheim das Stadtrecht. Feinschmecker schätzen Lampertheim besonders während der Spargelsaison.

Die Route folgt aber weiterhin dem Dammverlauf 〜 vor bis zur

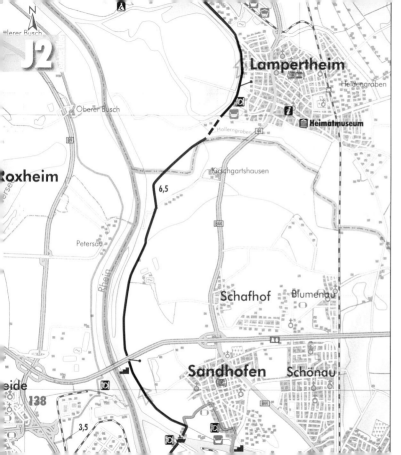

Hauptstraße die links nach Lampertheim-Rosengarten (Richtung Worms) führt ➝ auf der Begleitstraße geradeaus ➝ nach 1,5 Kilometern ist eine Straßenabfahrt zu queren ➝ danach in einem Bogen per Brücke über die Landesstraße ➝ beim Anstoßen rechts halten ➝ 350 Meter weiter, vor der Fabrik, abermals nach rechts ➝ nach 500 Metern stoßen Sie an der **„Eisernen Hand"**, einem historischen Wegweiser, wieder an eine Querstraße ➝ dieser nach links folgen ➝ gut 3 Kilometer geradeaus bis zur **Bundesstraße 47**.

Tipp: Für einen Besuch von **Worms** müssen Sie ans linke Rheinufer wechseln. Sie haben dort natürlich auch die freie Wahl am linken Ufer weiter nach Mainz zu fahren, oder ans rechte Ufer zurückzukehren.

Ausflug nach Worms   3 km

Für einen Abstecher nach Worms an der **B 47** links auf den linksseitigen Radweg ➝ auf der **Nibelungenbrücke** den Rhein überqueren.

Imposant ist vor allem der Brückenturm. Neben dessen mächtigem Tor passieren Sie einen schmalen Durchgang, somit beginnt die Nibelungenstraße. Etwas weiter flussabwärts befindet sich das Denkmal Hagens, der an dieser Stelle den Nibelungenschatz in den Rhein geworfen haben soll.

Zunächst aber wenden Sie sich dem Kaiserdom von Worms zu ➝ geradeaus über die querende Bundesstraße in die **Kyffhäuserstraße** ➝ am Radwegende weiter geradeaus in die **Allmendgasse**

~ am Ende stoßen Sie an die **Ludwigstraße**, auf der nach rechts die linksrheinische Veloroute Rhein weiterführt ~ links kommen Sie zum Kreisverkehr, der Sie nach rechts in die **Hagenstraße** entlässt; sie führt in einer geraden Linie zum **Domhügel** und endet beim **Siegfriedbrunnen**.

Worms ~km 443 (s. s. 118)

Von Lampertheim-Rosengarten nach Gernsheim 22 km

Sie kommen nun entweder von **Worms** entlang der **B 47** oder von Süden am rechten Ufer und biegen für die rechtsrheinische Weiterfahrt nach Mainz rechts auf die **B 47** ein ~ bis zur Ampel ~ hier die Bundesstraße nach links überqueren ~ geradeaus und im Wohngebiet wieder links ~ an der **Rheingoldstraße** rechts ~ nach

der Absperrung an der Straßengabelung rechts ~ an der L 3261 rechts ~ am Ortsende von **Wehrzollhaus** vorsichtig (⚠) auf den linksseitigen Radweg ~ nach 500 Metern links ~ vor dem Damm rechts ~ unter der Bahnbrücke hindurch ~ immer weiter am Damm entlang.

⚠ **Tipp:** Wer dem auf die Dauer nervigen Klack-klack der Betonplattenfugen entgehen möchte kann für die nächsten gut 16 Kilometer, die es bis hinter **Groß-Rohrheim** immer am Damm entlanggeht, auch meist oben auf diesem entlangradeln. Der dortige Schotterpfad eröffnet auch Ausblicke in die flache Landschaft beiderseits.

An einer Querstraße bei **Hofheim** ⚠ trotz unklarer Wegweisung links und gleich darauf wieder rechts dem Damm folgen ~ immer wieder asphaltierte Querstraßen

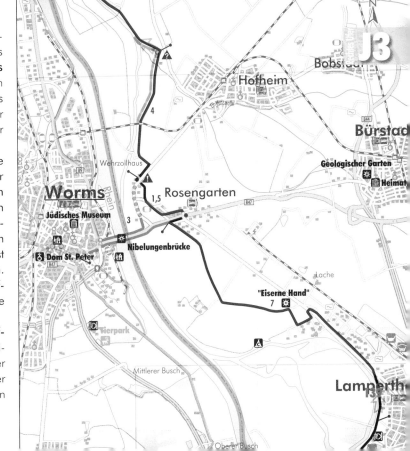

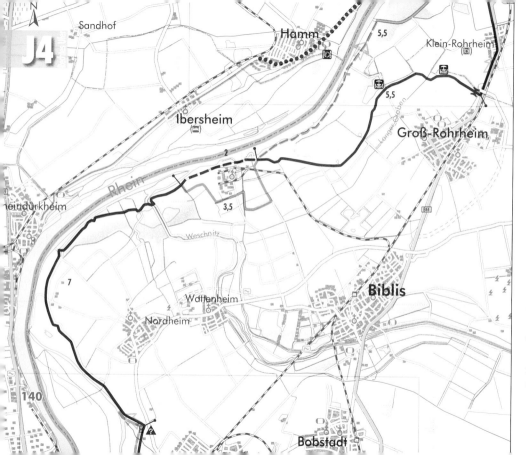

kreuzen ∿ am Waldrand bei den Häusern **Steinerwald** zunächst geradeaus, dann erst links wieder zum Damm ∿ der Weg führt bald links des Deiches am **Atomkraftwerk Biblis** (~km 455) entlang.

Tipp: Kurz vor dem **Atomkraftwerk** informiert ein Schild über Ausweichmöglichkeiten bei Hochwasser (s. orange Route in Karte J4).

Sie lassen das Atomkraftwerk zurück ∿ weiter auf Groß-Rohrheim zu und im weiten Rechtsbogen nördlich am Ort vorbeiradeln.

Groß-Rohrheim (~km 458)

So kommen Sie schließlich zur Bundesstraße ∿ links an dieser (**B 44**) entlang durch **Klein-Rohrheim** nach Gernsheim ∿ zu Ortsbeginn endet der Radweg ∿ bald links in die **Pfälzer Straße** ∿ nach Feuerwehr und städtischem Bauhof rechts in das Naherholungsgebiet ∿ diesen Rheinpark geradeaus durchqueren.

Tipp: An der Querstraße geht es links zur Fähre, rechts liegt das Zentrum von Gernsheim.

Gernsheim   ~km 462

⛴ Rheinfähre Gernsheim–Eich-Gernsheimer Fahrt, ☎ 06158/915777, Betriebszeiten: April-Sept. Mo-Sa 5.30-21 Uhr, So/Fei 7-21 Uhr; Okt.-März Mo-Fr 5.30-21 Uhr, Sa 5.30-20.30 Uhr, So/Fei 7-20.30 Uhr.

Von Gernsheim nach Geins-heim/ Fähre Nierstein   26,5 km

Geradeaus kommen Sie wieder zur ehemaligen, allerdings trotzdem nicht gerade verkehrsarmen Bundesstraße ⤳ auf diese nach links einbiegen ⤳ ein Radstreifen ist vorhanden ⤳ nach knapp 2 Kilometern Fahrt im Verkehr leider erst hinter den Verkehrsinseln vorsichtig ⚠ links ab.

Biebesheim   ~km 464

Am Damm entlang ⤳ hinter der Gaststätte am **Sportplatz** halbrechts auf den neu geschotterten Radweg auf dem Damm ⤳ nach knapp 7 Kilometern im sanften Rechtsbogen immer auf dem Damm erst im Sichtbereich der ersten Häuser von **Stockstadt** scharf links ab auf den Asphaltweg ⤳ kurz am kleinen Fluss **Modau** entlang ⤳ an der Querstraße rechts ⤳ beim Damm links auf den Dammweg hinauf ⤳ nun an Stockstadt entlang.

Stockstadt (~km 472, Fähre Kühkopf)

Am **Sportplatz** vorüber ⤳ an der Querstraße links ⤳ über die Brücke und geradeaus ins **Naturschutzgebiet Kühkopf**.

Hier durchziehen ausgewiesene Wege die wegen ihrer Vogel- und Pflanzenwelt interessante Insel.

Linksherum am Gasthof **Guntershausen** vorbei ⤳ an der Kreuzung ein paar hundert Meter später rechts in den Wald.

Tipp: Links gelangen Sie, vorbei am **Külberteicher Hof**, zur

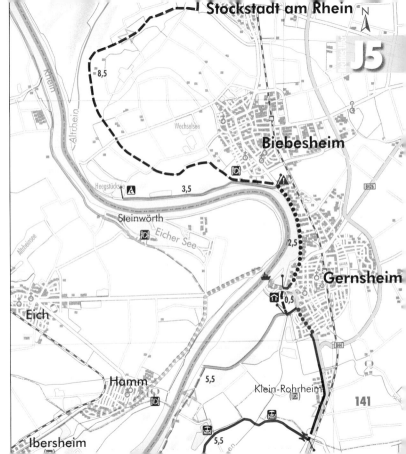

141

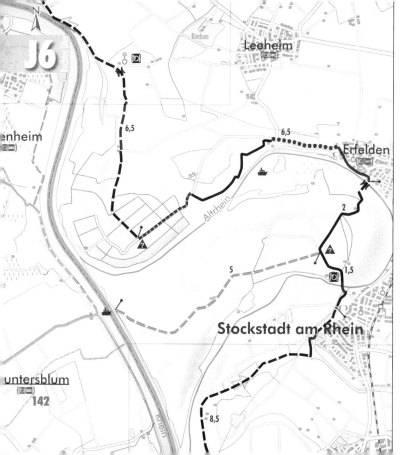

Rheinfähre Kühkopf–Guntersblum-Rheinhof, ☎ 06249/8731, Betriebszeiten: April-Okt. nur So/Fei 9-9.45, 11.30-11.45, 13-16.15 u. 18-18.45 Uhr.

Bei Erfelden das Naturschutzgebiet über einen Steg wieder verlassen ∿ an der Querstraße links ∿ gleich darauf links in die **Rheinallee**.

Erfelden
(∿km 472, Fähre Kühkopf)

🛈 Info Zentrum Kühkopf, bei der Stockstätter Brücke, ☎ 06158/86980, ÖZ: Sa, So/Fei 9-17 Uhr. Eintritt und Führungen frei! Hier erfahren Sie alles über das größte Naturschutzgebiet Hessens.

⛴ Fähre nach Guntersblum-Rheinhof (30 min.), ☎ 06249/8731, Betriebszeiten: April-Okt. nur So/Fei 10.45 u. 17.15 Uhr (nicht bei niedrigem Wasserstand und nicht an Wochenfeiertagen in Rheinland-Pfalz)

Am Ende beim **Sportplatz** links auf die Kreisstraße oder parallel wieder auf dem Damm aus Erfelden hinaus ∿ wo die **K 156** nach rechts Richtung Leeheim abbiegt, zunächst geradeaus dann links vom Damm weg auf dem Feldweg weiter auf dem asphaltierten Wirtschaftsweg stoßen Sie unweit der Siedlung **Moorhecke** schließlich an eine äußerst holprige Kopfsteinpflasterstraße ∿ hier links in den Wald ∿ noch vor dem Haus am Ende der Straße zweigt ein Weg rechts in den Wald ab (⚠ Vorsicht; Wegweisung leicht zu übersehen!) ∿ nun die **Knoblochsaue** durchfahren ∿ dann halblinks auf den Dammweg ∿ an den kleinen Parabolantennen vorüber ∿ an der **L 3094** rechts.

Tipp: Die Fähre Nierstein (∿km 480) und das linksrheinische Ufer erreichen Sie hier nach links. **Fähre Kornsand–Nierstein**, ☎ 06133/5195,

Betriebszeiten: Mitte Okt.-Mitte März, Mo-Sa 7-21 Uhr, Mitte März-Mitte Okt., 6-21.45 Uhr.

Von Geinsheim/Fähre Nierstein nach Mainz   23 km

An der Landstraße rechts ~ dann links in die Straße nach Hessenaue.

Hessenaue   (~km 484)

Am Ortsende in der Rechtskurve nach links ~ immer dem Straßenverlauf folgen ~ bei den Häusern **In den Wiesen** links und gleich wieder rechts ~ an der Querstraße geradeaus weiter auf dem Betonplattenweg.

Tipp: Hier links können Sie durch die Rheinauen vorbei an den Höfen **Oberau**, **Jakobsbergerau** und **Langenau** bis **Nonnenau** radeln, wo eine Fähre den Ginsheimer Altrhein nach Ginsheim quert.

Trebur-Astheim   (~km 488)

An der nächsten Querstraße kurz links ~ in die darauffolgende Straße gleich wieder rechts ~ der Weg führt auf den Damm hinauf ~ der Dammweg bringt Sie nach Ginsheim ~ links am Ort vorüber.

Ginsheim   (~km 492)

Über den Parkplatz und geradeaus gegen die Einbahnstraße ~ nach Ortsende wieder auf dem Dammweg weiter ~ unter der A 60 hindurch ~ der Dammweg endet im Gewerbegebiet von **Gustavsburg** ~ in die erste Straße rechts auf den linksseitigen Radweg ~ an der Kreuzung dem Radweg nach links folgen ~ über zwei Bahnübergänge hintereinander ~ nach dem zweiten gleich links in die **Dr.-Herrmann-Straße** einbiegen zum **Bahnhof Mainz-Gustavsburg**

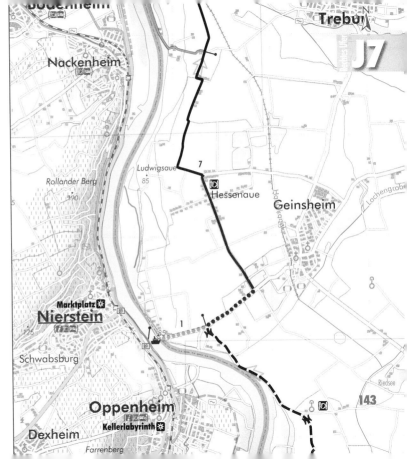

143

~ vor dem Bahnhofsgebäude rechts in die **Erzberger Straße** ~ an der **Darmstädter Landstraße** links ~ über den Main ~ am Ende der Brücke im spitzen Winkel rechts hinunter zum Mainufer ~ einen Flussarm überqueren ~ nach der Brücke in Form einer Schlaufe unter der Brücke hindurch ~ auf einem gesandeten Weg durch die **Maaraue** ~ nach Querung des Altarmes **Floßhafen** erneut direkt hinter der Brücke rechts hinunter und die Brücke wieder unterqueren ~ am Kasteler **Rheinufer** vor bis zu den Treppen an der Rheinbrücke.

Tipp: Um diese Treppen zu vermeiden rechts zum Bahnhof Mainz-Kastel, links auf den Radweg an der Eisenbahnstraße und am Kreisverkehr links auf die Brücke.

Mainz-Kastel   **(~km 498)**

Auf die **Theodor-Heuss-Brücke** hinauf und den Rhein linker Hand auf dem Radweg queren ~ unten entscheiden Sie sich am besten für den Radweg nach links zurück, bevor ein Stück hinter der Rheingoldhalle an der kleinen Grünanlage am Fischtorplatz eine Radroute

Mainz – Rathaus

ins Zentrum führt (s. S. 130).

Mainz   **~km 498 (s. S. 134)**

Sie haben nun das Ende Ihrer Radreise erreicht. Wir hoffen, Sie hatten einen erlebnisreichen und interessanten Radurlaub und freuen uns, dass Sie ein *bikeline*-Radtourenbuch als Begleiter gewählt haben.

Das gesamte *bikeline*-Team wünscht Ihnen eine gute Heimreise!

Amöneburg

Mombach

Kastel

Hochheim am Main

Platte
120

Geißberg
130

Falkenberg

Rhein-Radweg

Kurfürstliches Schloss

Gonsenheim

Kostheim

Main

1,5

Main-Radweg

Gustavsburg

Dom St. Martin

7

Opel-Werk

Mainz

Zahlbach

Bischofsheim

2,5

Bretzenheim

Weisenau

Rhein

Silbersee

2,5

1,5

Hechtsheim

Ginsheim

145

Bauschheim

Marienborn

henberg

Laubenheim

Bett & Bike

Bett & Bike

Alle mit dem Bett & Bike-Logo (🚲) gekennzeichneten Betriebe nehmen an der ADFC-Aktion „Fahrradfreundliche Gastbetriebe" teil. Sie erfüllen die vom ADFC vorgeschriebenen Mindestkriterien und bieten darüber hinaus so manche Annehmlichkeit für Radfahrer. Detaillierte Informationen finden Sie in den ausführlichen Bett & Bike-Verzeichnissen – diese erhalten Sie überall, wo's *bikeline* gibt.

Übernachtungsverzeichnis

Dieses Verzeichnis beinhaltet folgende Übernachtungskategorien:
H Hotel
Hg Hotel garni
Gh Gasthof, Gasthaus
P Pension, Gästehaus
Pz Privatzimmer
BB Bed and Breakfast
Fw Ferienwohnung (Auswahl)
Bh Bauernhof
Hh Heuhotel
🏠 Jugendherberge, -gästehaus
🏕 Campingplatz
🏕 Zeltplatz (Naturlagerplatz)
Die Auflistung erhebt keinen Anspruch auf Vollständigkeit und stellt keine Empfehlung der einzelnen Betriebe dar.

Die römische Zahl (I-VII) nach der Telefonnummer gibt die Preisgruppe des betreffenden Betriebes an. Wir möchten Sie jedoch darauf hinweisen, dass die angegebenen Preiskategorien dem Stand des Erhebungs- bzw. Überarbeitungszeitraumes entsprechen und sich von den tatsächlichen Preisen unterscheiden können.

Folgende Unterteilung liegt der Zuordnung zugrunde:
I unter € 15,–
II € 15,– bis € 23,–
III € 23,– bis € 30,–
IV € 30,– bis € 35,–
V € 35,– bis € 50,–
VI € 50,– bis € 70,–
VII über € 70,–

Die Preisgruppen beziehen sich auf den Preis pro Person in einem Doppelzimmer mit Dusche oder Bad inkl. Frühstück. Übernachtungsbetriebe mit Zimmern ohne Bad oder Dusche, aber mit Etagenbad, sind durch das Symbol 🛏 nach der Preisgruppe gekennzeichnet.

Da wir das Verzeichnis stets aktuell halten möchten, sind wir für Mitteilungen bezüglich Änderungen jeder Art dankbar. Der einfache Eintrag erfolgt für die Betriebe natürlich kostenfrei.

Basel   L
PLZ: CH-4002; Vorwahl: 0041(0)61
🛈 Basel Tourismus, Tourist-& Hotelinformation, Im Bahnhof SBB, ✆ 061/2686868
🛈 Tourist- & Hotelinformation im Stadtcasino am Barfüsserplatz, Steinenberg 14, ✆ 2686868
H Hotel Schweizerhof, Centralbahnplatz 1, ✆ 5608585, VI
H Hotel Stadthof, Gerbergasse 84, ✆ 2618711, V-VI 🛏
H Hotel Basel, Münzgasse 12, ✆ 2646800, VII
H Mercure Hotel Europe, Clarastr. 43, ✆ 6908080, VI
H Hotel Au Violon, Im Lohnhof 4, ✆ 2698711
H Hotel Teufelhof, Leonhardsgraben 47-49, ✆ 2611010, VII
H Hotel Rochat, Petersgraben 23, ✆ 2618140, VI
Hg Hotel Steinenschanze, Steinengraben 69, ✆ 2725353, VI
H Basel back pack, Dornacherstr. 192, ✆ 3330037, II
H Hotel Birsighof, Birsigstr. 30, ✆ 2733030, VI
H Hotel Bildungszentrum 21, Missionsstr. 21, ✆ 2602121, VI
H Hotel Spalentor, Schönbeinstr. 1, ✆ 2622626, VI
H Hotel Balade, Klingental 8, ✆ 6991900, VI
H Hotel Royal, Schwarzwaldallee 179, ✆ 6865555, VI
H Hotel Alexander, Riehenring 83/85, ✆ 6857000, VI
H Hotel Münchnerhof, Riehenring 75, ✆ 6894444, VI
H Hotel Resslirytti, Theodorsgraben 42, ✆ 6916641, VI
H easyhotel, Riehenring 109, ✆ 0900/327927, IV
🏠 Jugendherberge Basel City, Pfeffingerstr. 8, ✆ 3659960, II

🏠 Jugendherberge, St. Alban-Kirchrain 10, ✆ 2720572, IV

Saint Louis L
PLZ: F-68300; Vorwahl: 0033(0)389
H Berlioz, Rue Henner, ✆ 697444
H Porte de France; 94, rue de Bâle, ✆ 698088
H l'Europe, 2, rue de Huningue, ✆ 697355

Huningue L
PLZ: F-68330; Vorwahl: 0033(0)389
🛈 Touristinformation, 6, rue des Boulangers, ✆ 673674
H Tivoli, 15, rue de Bâle, ✆ 697305, IV-V
🏕 Camping Au Petit Port, 8, allée des Marronniers, ✆ 700171

Village-Neuf L
PLZ: F-68128; Vorwahl: 0033(0)389
H Au Cheval Blanc, 6a, rue de Rosenau, ✆ 697915

Bartenheim L
PLZ: F-68870; Vorwahl: 0033(0)389
🛈 Syndicat d'Initiative, Pays de Sierentz - Mairie, ✆ 683020
H Au Lion Rouge, 1, rue Général de Gaulle, ✆ 683029
H Balladins Express Bartenheim, 2, rue Robert Schuman, ✆ 683646

Hombourg L
PLZ: F-68490; Vorwahl: 0033(0)389
H de l'Etoile, 26, rue Principale, ✆ 260726

Ottmarsheim L
PLZ: F-68490 Vorwahl: 0033(0)389
H Als' Hotel, Carrefour de la Vierge, ✆ 260607, IV

Bantzenheim L
PLZ: F-68490; Vorwahl: 0033(0)389
H De Bâle, 3, rue de Bâle, ✆ 260455
H La Poste, 1, rue de Bâle, ✆ 260426

Chalampe L
PLZ: F-68490; Vorwahl: 0033(0)389
H Rhin, 7, rue Lucas, ✆ 260518

Munchhouse L
PLZ: F-68740; Vorwahl: 0033(0)389
H Reibel, 2, rue du Canal ✆ 812704

Blodelsheim L
PLZ: F-68740; Vorwahl: 0033(0)389
H Au Lion d'Or, 80, rue due Général de Gaulle, ✆ 486047, II-III
P Correges, Poney Parc, ✆ 812858

Fessenheim L
PLZ: F-68740; Vorwahl: 0033(0)389
H Au bon Frère - Schnacka Hisle 64, Rue de la Libération, ✆ 486092, II-III
H Ruthmann „Aux 2 Clefs", 34, Rue de la Libération, ✆ 486156, II

Nambsheim L
PLZ: F-68320 Vorwahl: 003380)389
P J.-J. Kinny, Domaine Thierhurst, ✆ 725694, V

Geiswasser L
PLZ: F-68600 Vorwahl: 0033(0)389
🏕 Aire Naturelle de Camping, 2, Grand-Rue, ✆ 725495
🏕 Camping A l'Orée du Bois, 5, rue du Bouleau, ✆ 728013

Obersaasheim L
PLZ: F-68600; Vorwahl: 0033(0)389
H A la Vieille Fermette, 44, rue Maréchal-Leclerc, ✆ 726020
Gh M. Desmedt, 44, rue du Gal.Leclerc, ✆ 726020, II
🏕 Camping A l'Auberge Vieille Fermette, 44, rue Maréchal-Leclerc, ✆ 726020

Dessenheim L
PLZ: F-68600; Vorwahl: 0033(0)389
P M.-F. Jaggy, 2, rue de Weckolsheim, ✆ 726653, V

Algolsheim L
PLZ: F-68600; Vorwahl: 0033(0)389
Pz N. Eckert, 6, Rue des Vergers, ✆ 725342, II

Volgelsheim L
PLZ: F-68600; Vorwahl: 0033(0)389
🛈 Office de Tourisme Intercommunal des Bords du Rhin, 16, rue de Neuf-Brisach, ✆ 725666
H La Boite a Sel, 11, rue du Rhin, ✆ 725630, II
Pz W. Baisch, 6, rue du Rhin, ✆ 727247 od. 725666, IV
Fw L. Gampp, 25, rue de la Paix, ✆ 727751, II-III

Vogelgrun L
PLZ: F-68600; Vorwahl: 0033(0)389
🛈 Touristinformation, Ile du Rhin, ✆ 723712
H Le Caballin, Ile du Rhin, ✆ 725656, V
H l'Européen, Ile du Rhin, ✆ 725157, VI
🏕 Camping de l'Ile du Rhin, ✆ 725795

Logelheim L
PLZ: F-68280; Vorwahl: 0033(0)389
H A la Vigne, 5, Grand'Rue, ✆ 209960, IV-V

🏕 Camping Ferme Benzen, Route d'Eguisheim, ✆ 274038

Sainte Croix en Plaine L
PLZ: F-68127; Vorwahl: 0033(0)389
H Au Moulin, D1 - rue de Herrlisheim, ✆ 493120

Neuf-Brisach L
PLZ: F-68600 Vorwahl 0033(0)389
🛈 Office de Tourisme Intercommunal des Bords du Rhin, 6, Place d'Armes, ✆ 725666
H Aux Deux Roses, 11, rue de Strasbourg, ✆ 725603, III
Fw Decker, 17, rue de Bâle, ✆ 725606
🏕 Camping Municipial „Vauban", ✆ 725425

Colmar L
PLZ: F-68000; Vorwahl: 0033(0)389
🛈 Office de Tourisme, 4, Rue des Unterlinden, ✆ 206892
H Amiral Bleu Marine, 11a, boulevard du Champ-de-Mars, ✆ 232625, V-VI
H Beau Séjour, 27a, rue du Ladhof, ✆ 413716, III-IV
H Bristol, 7, place de la Gare, ✆ 235959, VI
H Champ-de-Mars, 2, avenue de la Marne, ✆ 415959, V-VI
H Climat de France, 1, rue d la Gare ✆ 413480, III
H Colbert, 2, rue des Trois-Epis, ✆ 413105, II-III
H Comfort Inn Pirmevere, 83, route de Bâle, ✆ 241479, III
H des Têtes, 19, rue des Têtes, ✆ 244343, VI
H Du Ladhof, 198, rue du Ladhof, ✆ 410978 I-III
H Gril Campanile, 16, rue Timken, ✆ 241818, III
H Hagueneck, 83, av. Général-de-Gaulle, ✆ 806898, II
H Hexagone, 38, route de Sélestat, ✆ 412333, III
H Ibis Centre, 10, rue Saint-Eloi, ✆ 413014, VI

H Jardin du Bonheur, 23, route de Neuf-Brisach, ✆ 236336, III
H Kempf, 1, avenue de la République, ✆ 412172, I-II
H La Chaumière, 74, avenue de la République, ✆ 410899, II
H La Fecht, 1, rue de la Fecht, ✆ 413408, VI
H Le Colombier, 7, rue Turenne, ✆ 239600, VI
H Le Maréchal, 4-6, place des Six-Montagnes-Noires, ✆ 416032, VI
H Novotel, 49, route de Strasbourg ✆ 414914, IV
H Primo 99, 5, rue des Ancêtres, ✆ 242224 II-III
H Rapp'Hôtel, 1-3-5-, rue Weinemer, ✆ 416210, III-IV
H Relais Marmotte, 2, rue de la Fecht, ✆ 234353, II
H Roi Soleil, rue des Frères Lumière, ✆ 210505, I
H Saint-Martin, 38, Grand-Rue, ✆ 241151, III-V
H Turenne, 10, route de Bâle, ✆ 215858, III
H Unterlinden, 15, rue Golbery, ✆ 417171, III
H Ville de Nancy, 48, rue Vauban, ✆ 412314, II
🏠 Auberge de Jeunesse (Jugendherberge), 2, rue Pasteur, ✆ 805739
🏕 Camping de l'Ill, route de Neuf Brisach, ✆ 411594

Weil am Rhein R
PLZ: D-79576; Vorwahl: 07621
H Central, Hauptstr. 216, ✆ 1610990, V-VI
H Ott's Hotel Leopoldhöhe, Müllheimer Str. 4, ✆ 98060, V-VII 🛏

Haltingen
PLZ: D-79576; Vorwahl: 07621
H Zur Krone, Burgunder Str. 21, ✆ 62203, VI
Pz Eridor, Freiburger Str. 24, ✆ 61969, III

Friedlingen
PLZ: D-79576; Vorwahl: 07621
H Maximilian, Hauptstr. 435, ✆ 7080, VI

Efringen-Kirchen R
PLZ: D-79588; Vorwahl: 07628
🛈 Gemeindeverwaltung Efringen-Kirchen, Hauptstraße 26, ✆ 8060
P Hanke, Fr. Rottra-Str. 60, ✆ 8219 🛏

Bad Bellingen R
PLZ: D-79415; Vorwahl: 07635
🛈 Touristinformation, Rheinstr. 25, ✆ 8080
H Appartment Eden, Im Mittelgrund 2, ✆ 81070, V
H Apart-Hotel Badblick, Rheinstr. 4, ✆ 82050, V-VI 🛏
H Markushof, Badstr. 6, ✆ 31080, V 🛏
H Schwarzwälder Hof, Von-Andlaw-Str. 9, ✆ 81080, III-V 🛏
H Schwanen, Rheinstr. 50, ✆ 811811, V 🛏
Hg Markgraf, Im Mittelgrund 7, ✆ 81110, VI 🛏
Hg Römerhof, Ebnetstr. 9, ✆ 82010, IV
Hg Birkenhof, Rheinstr. 76, ✆ 623, V
🏕 Camping Lug ins Land, Römerstr. 3, ✆ 1820 🛏

Bamlach
PLZ: 79415; Vorwahl: 07635
P Panorama, Salzbrunnenstr. 13, ✆ 31020, II-III 🛏

Steinenstadt R
PLZ: D-79395; Vorwahl: 07635
P Maierhof, Maierhofstr. 10, ✆ 465, II-IV
🏕 Campingplatz „Vogesenblick"‚, Eichwaldstr. 7, ✆ 1846

Neuenburg am Rhein R
PLZ: D-79395; Vorwahl: 07631
🛈 Tourist-Information, Rathausplatz 5, ✆ 791111
H Adler, Breisacher Str. 20, ✆ 72120, IV-V
H Am Stadthaus, Marktpl. 1, ✆ 79000, V 🛏
H Anika, Freiburger Str. 2a, ✆ 79090, V 🛏
H Bürgel, Breisacher Str. 37a, ✆ 72153, III-IV 🛏
H Neuenburger Hof, Bahnhofstr. 8, ✆ 73741, IV
H Weißes Kreuz, Schlüsselstr. 8, ✆ 70030, III-IV
H Zähringerstube, Müllheimer Str. 6, ✆ 705653, V
H Zur Krone, Breisacher Str. 1, ✆ 7039-0, V 🛏
Hg Touristik Hotel, Basler Str. 2, ✆ 7876, V
Gh Blauels Restaurant, Zähringerstr. 13, ✆ 79666, V
P Arnold, Müllheimer Str. 4, ✆ 72900, III
P Fehrenbach, Breisacher Str. 19, ✆ 72129, IV
P Fehrenbach, Spiegelstr. 10, ✆ 73863, III
P Junghans, Johanniterstr. 8, ✆ 72165, III
P Katzenstriegel, Ensisheimer Str. 47, ✆ 72043, II
P Sütterlin, Freiburger Str. 22, ✆ 73495, III
🏕 Dreiländer Camping- und Freizeitpark Oberer Wald, Oberer Wald 1, ✆ 7719

Zienken R
PLZ: D-79395; Vorwahl: 07631
P Grüner Baum, Alte Landstr. 12, ✆ 72807, II-III
P Tschäulin, Fasanenweg 3, ✆ 72442, III

Grißheim R
PLZ: D-79395; Vorwahl: 07634
Gh Zum Kreuz, Rheinstr. 37, ✆ 2102, IV

P Beyer, Rheinstr. 7, ✆ 2003, II-III
P Erika, Johanniterweg 6, ✆ 1358, III 🛏
P Irene, Rheinstr. 73, ✆ 551506, III

Hartheim R
PLZ: D-79258; Vorwahl: 07633
Gh Müller, Bachstr. 10, ✆ 3800
Fw Otmar Faller, An der Ries 14, ✆ 2917

Bad Krozingen R
PLZ: D-79189; Vorwahl: 07633
🛈 Kur- und Bäderverwaltung Bad Krozingen GmbH, Herbert-Hellmann-Allee 12, ✆ 400863
H Alla Fonte, Herbert-Hellmann-Allee 30, ✆ 806910, V
H Ascona, Thürachstr. 11, ✆ 14023, IV
H Badischer Hof, Bahnhofstr. 3, ✆ 3108,
H Bären, In den Mühlenmatten 3, ✆ 91100, V
H Barthel's Hotellerie an den Thermen, Thürachstrasse 1-3, ✆ 10050, V
H Quellenhof, Schlatter Str. 17, ✆ 91180, III-IV 🛏
H Daheim, Blauenstr. 4-6, ✆ 92660, V
H Hofmann zur Mühle, Litschgistr. 6, ✆ 9088590, IV-VI
H Ott an der Vita Classica, Thürachstr. 3-5, ✆ 40060, VI
H Pension Gabriela, Herbert-Hellmann-Allee 23, ✆ 918240, II-V
H Pension Nora, Thürachstr. 14, ✆ 91220, IV
H Eden am Park, Herbert-Hellmann-Allee 20, ✆ 958090, V
P Casa Cristina, Thürachstr. 22, ✆ 3171, III
Gh Haus Autenrieth, Neumagenstr. 4, ✆ 4518, II
Gh Kaufmann, Im Rheintal 4, ✆ 923800, II-III

Gh Meng, Hansjakobstr. 5, ☎ 3622, II-III

Gh Pauline, Kreuzstr. 6, ☎ 3514, II

Gh Schurer, Hofstr. 17, ☎ 3435, II

Gh Sparenberg, Blauenstr. 9, ☎ 3577 III

Pz Am Kastelberg, Kastelbergstr. 15, ☎ 2215, II

Hausen

PLZ: 79189; Vorwahl: 07633

H Fallerhof, Tunibergstr. 2, ☎ 4400, V ⌂

Gh Vis a Vis, Tunibergstr. 1a, ☎ 4400

Biengen

PLZ: 79189; Vorwahl: 07633

Gh Müllers, Steinbrecherstr. 5, ☎ 15661, III

Munzingen   R

PLZ: D-79112; Vorwahl: 07664

H Schloss Reinach, St. Erentrudis-Str. 12, ☎ 4070, V-VI

Opfingen   R

PLZ: D-79112; Vorwahl: 07664

Gh Löwen, Dürleberg 9, ☎ 1260, III-V

Gh Zur Tanne, Altg. 2, ☎ 1810, II-V ⌂

P Obst- und Weinhof Walter, Wippertskirch 2, ☎ 1396, III

Freiburg   R

PLZ: D-79098; Vorwahl: 0761

🅑 Tourist Information, Rotteckring 14, ☎ 3881880

🅑 FIT Freiburg Incoming Touristik, Am Bischofskreuz 1, ☎ 88581-145

St. Georgen

PLZ: D-79111; Vorwahl: 0761

H Blume, Freiburger Str. 1, ☎ 07664/939790, IV-V

H Gasthaus Weingut Paradies, Basler Landstr. 87,

☎ 4709790, V-VI

H Dorint Resort Freiburg an den Thermen, An den Heilquellen 8, ☎ 49080, VI

H Rössle, Basler Landstr. 106, ☎ 43313, IV-V

H Zum Schiff, Basler Landstr. 35-37, ☎ 400750, V-VI

Pz Faber, Langgasse 5, ☎ 43463, III

West

PLZ: D-79114; Vorwahl: 0761

Pz Bechtold, Christaweg 13, ☎ 471604, II

Pz Hirsch/Neurath, Binzengrün 5, ☎ 41930 oder 4880058

Pz Höll, Haierweg 30, ☎ 445343, I-II

Pz Lichter, Haierweg 115, ☎ 443500, II

Südwest

PLZ: D-79115; Vorwahl: 0761

H Helene, Staufener Str. 46, ☎ 452100, III

Nordwest D-79106 u. 79110 0761/ H Hirschengarten, Breisgauer Str 51, ☎ 80303, V

H Schemmer, Eschholzstr. 63, ☎ 207490, III-IV

H Stadt Freiburg, Breisacher Str. 84b, ☎ 89680, V-VI

H Zum Löwen, Breisgauer Str. 62, ☎ 84661 u. 8097220, III-V

P Paradies, Mathildenstr. 26-28, ☎ 273700, IV-V

Pz Burger, Waldallee 14, ☎ 84357, II

Pz Faubert, Höherweg 25, ☎ 131651, I-II

Pz Hoja, Windausstr. 2, ☎ 810400, II

Pz Kiesel, Am Hertweg 4a, ☎ 81597, I-I

Pz Kunz, Eulenweg 19, ☎ 1560633, II

Pz Tzaschel, Edith-Stein-Str. 20a, ☎ 7251590 oder 83753, II-III

Zentrum

PLZ: D-79088; Vorwahl: 0761/ H Alleehaus, Marienstr. 7, ☎ 387600, IV-VII

H Am Rathaus, Rathausgasse 4-8, ☎ 296160, VII

H Am Stadtgarten, Bernhardstr. 5, ☎ 2829002, V-VI ⌂

H Bierhäusle, Breisgauer Str. 41, ☎ 88300, V-VI

H Zum Roten Bären, Oberlinden 12, ☎ 38787, VII

Hg Barbara, Poststr. 4, ☎ 29625, VI-VII

🛏 Jugendherberge, Kartäuserstr. 151, ☎ 67656

🅰 Camping Hirzberg, Kartäuserstr. 99, ☎ 35054, ⌂

Südost

PLZ: D-79102; Vorwahl: 0761

H Gasthaus Schützen, Schützenallee 12, ☎ 7059950, III-IV

H Schiller, Hildastr. 2, ☎ 703370, VI

Gh Zum Schiff, Schwarzwaldstr. 82, ☎ 71310 od. 73919, III-IV

🛏 Black Forest Hostel, Kartäuserstr. 33, ☎ 8817870

Süd

D-79100; Vorwahl: 0761

H Deutscher Kaiser, Günterstalstr. 38, ☎ 74910, IV

H Dionysos, Hirschstr. 2, ☎ 29353, II

H Sonne, Basler Str. 58, ☎ 403048, IV

🅰 Camping Möslepark, Waldseestr. 77, ☎ 72938

🅰 Camping Breisgau, Seestr. 20, ☎ 07665/2346

Gündlingen   R

PLZ: D-79206; Vorwahl: 07668

Gh Rebstock, Hauptstr. 3, ☎ 5275, II

Pz Binz, Breisacher Str. 25, ☎ 5550, II

Pz Fritz, Breisacher Str. 23, ☎ 395, II

Oberrimsingen   R

PLZ: D-79206; Vorwahl: 07664

Gh Löwen, Bundesstr. 17, ☎ 2496, IV

Gh Hirschen, Bundesstr. 32, ☎ 2515, IV

Breisach   R

PLZ: D-79206 07667/

🅑 Breisach-Touristik, Marktplatz 16, ☎ 940155

H Adler, Hochstetterstr. 11, ☎ 93930, IV-V ⌂

H Am Münster, Münsterbergstr. 23, ☎ 8380, VI-VII

H Bären, Kupfertorplatz 7, ☎ 281, IV

H Breisacher Hof, Neutorplatz 16, ☎ 392, IV ⌂

H Kaiserstühler Hof, R.-Müller-Str. 2, ☎ 83060, V-VI

H Kapuzingarten, Kapuzinergasse 26, ☎ 93000, V-VI ⌂

H Rheinblick, Rheinuferstr. 2, ☎ 7172, IV-V

H Schiff, Marktplatz 4, ☎ 314, III

H Schlüssel, Neutorstr. 17, ☎ 402, II-III

Gh Bayrischer Hof, Neutorstr. 25, ☎ 833767, II-III

P Schillinger, Harelungenweg 3, ☎ 6991, III

Pz Schlossberg, Kapuzinergasse 29, ☎ 93770, III

Pz Hercher, Hildegraben 14, ☎ 7810, III

Pz Hunn, Rheintorstr. 45, ☎ 8668, II

Pz Locher, Friedhofallee 8, ☎ 940295, III-IV

Pz Schwarz, Kirchweg 6, ☎ 7829, II

Pz Schulze, Münsterbergstr. 22, ☎ 933812, II-III

Pz Ulmann, Waldstr. 10, ☎ 6225, II ⌂

🛏 Jugendherberge, Rheinuferstr. 12, ☎ 7665 ⌂

🅰 Camping Münsterblick, Hochstetterstr. 11, ☎ 93930

🅰 Camping- & Ferienpark, Nachtwaid 5, ☎ 07668/ 950065

Biesheim L

PLZ: F-68600; Vorwahl: 0033(0)389
🛈 Touristeninformation, 13, Grand'Rue, ☎ 720169
H Aux deux Clefs, 50, Grand'Rue, ☎ 303060, V
H La Clef des Champs, 19 a, Grand'rue, ☎ 720818, III-IV

Artzenheim L

PLZ: F-68320; Vorwahl: 0033(0)389
H Auberge d'Artzenheim, 30, rue du Sponeck, ☎ 716051, IV

Marckolsheim L

PLZ: F-67390; Vorwahl: 0033(0)388
🛈 Touristinformation, 27, rue de Maréchal Foch, ☎ 925698
H Les Loges du Ried, 21, avenue de l'Europe, ☎ 582500
Pz Allonas, 2, place de la République, ☎ 925562, II
Pz Faesser, 42, rue de l'Alma, ☎ 925074,
Pz Jaeger, 3, rue du Violon, ☎ 925008, II-III
🏕 Camping Au Chalet du Rhin, ☎ 925235

Elsenheim

PLZ: F-67390; Vorwahl: 0033(0)388
Pz A. Herrmann, ☎ 925230

Boesenbiesen L

PLZ: F-67390; Vorwahl: 0033(0)388
Pz Zumsteeg, 18, rue Schmittlach

Baldenheim L

PLZ: F-67600; Vorwahl: 0033(0)388
H A l'Etoile, 14, route de Baldenheim, ☎ 923579
H Prés d'Ondine, 5, rue de Baldenheim, ☎ 580460, V-VI

Saasenheim L

PLZ: F-67390; Vorwahl: 0033(0)388
Pz C. Ciza, ☎ 855121

Schoenau L

PLZ: F-67390; Vorwahl: 0033(0)388
🏕 Camping Schoenau Plage, ☎ 852285

Diebolsheim L

PLZ: F-67230; Vorwahl: 0033(0)388
P Gîte d'Etape Decock, ☎ 748059
Pz C. Laubacher, 16, rue de l'église, ☎ 746706

Witternheim L

PLZ: F-67230; Vorwahl: 0033(0)388
🏕 Camping a la Ferme, 26, rue Principale, ☎ 854251

Boofzheim L

PLZ: F-67860; Vorwahl: 0033(0)388
🏕 Camping du Ried, Route de Ruinan, ☎ 746827

Rhinau L

PLZ: F-67860; Vorwahl: 0033(0)388
🛈 Office du Tourisme, Rue du Rhin, ☎ 746896
H Au Bords du Rhin, 10, route du Rhin, ☎ 746036, II-III
🏕 Camping „Ferme des Tuileriesu", ☎ 746045

Obenheim L

PLZ: F-67230; Vorwahl: 0033(0)388
H A l'Eperon d'Or, Route de Daubensand ☎ 983079

Gerstheim L

PLZ: F-67150; Vorwahl: 0033(0)388
Pz D. Albertus, 53, Rue du Rhin, ☎ 983720, III
🏕 Camping Au Clair Ruisseau, Rue du Ried, ☎ 983004

Erstein L

PLZ: F-67150; Vorwahl: 0033(0)388
🛈 Office du Tourisme du Pays-de-Erstein, 16, rue du Général de Gaulle - BP 90, ☎ 981433
H A l'Agneau, 50, rue du 28 Novembre, ☎ 980212
H Bords de l'Ill, 1, rue de Muhlbach, ☎ 980370, III
H Crystal, 43, avenue de la Gare, ☎ 648100, IV-V
H L'Industrie, 2a, rue de Schaeffersheim, ☎ 980117, IV-V
🏕 Camping Municipal Wagelrott, Rue de la Sucrerie, ☎ 980988 od. 646666

Plobsheim L

PLZ: F-67115; Vorwahl: 0033(0)388
H Kempferhof, 351, rue du Moulin, ☎ 987272

Eschau L

PLZ: F-67114; Vorwahl: 0033(0)388
H Au Cygne, 38, Rue de la 1ère Division Blindée, ☎ 640479, II-III
Pz S. Gruss, ☎ 643156

Illkirch L

PLZ: F-67400; Vorwahl: 0033(0)388
H D'Alsace, 187, route de Lyon, ☎ 403500, IV

Graffenstaden

PLZ: 67400; Vorwahl: 0033(0)388
H Holiday Inn Garden Court, Parc d'Innovation - Boulevard Sébastien-Brandt, ☎ 408484
H Le Domino, 1, rue du Rempart, ☎ 791288

Ostwald L

PLZ: F-67540; Vorwahl: 0033(0)388

Erstein (Fortsetzung)

H Château de l'Ill, 4, quai Heydt, ☎ 668500
H Etap, La Vigie - Rue Ferdinand Braun, ☎ 673600
H Mercure Strasbourg Sud, 5, rue du 23 Novembre, ☎ 0033(0)390/405151
H Villages, La Vigie - Rue Ferdinand Braun, ☎ 663938

Lingolsheim L

PLZ: F-67640; Vorwahl: 0033(0)388
H Kyriad-Lingolsheim, ☎ 761100
H Les Alizés, ☎ 590200

Strasbourg (Straßburg) L

PLZ: F-67000; Vorwahl: 0033(0)388
🛈 Office de Tourisme, 17, Place de la Cathédrale, ☎ 522828
H Apart'Hotel Citadines Strasbourg Kléber, 50-54, rue du Jeu-des-Enfants, ☎ 0825/010350, V-VII
H Arts, 10, place du Marchéaux Cochons de Lait, ☎ 379837, IV-VI
H Au Cerf d'Or, 6, place de l'Hôpital, ☎ 362005, IV-VI
H Baumann, 16, place de la Cathédrale, ☎ 324214, VI
H Beaucour Romantik Hotels, 5, rue des Bouchers, ☎ 767200, VI-VII
H Bristol, 4 et 5, place de la Gare, ☎ 320083, V-VI
H Cap Europe, 6, rue du Bitche, ☎ 248124, III
H Cardinal de Rohan, 17, rue du Maroquin, ☎ 328511, V-VI
H Citadines, ☎ 0033(0)390/224700,
H Comfort Hotel, 14, rue des Corroyeus, ☎ 290606, III-IV
H Comfort Hotel Center, 1, quai de Paris, ☎ 151717, V-VI
H Continental, 14, rue du Maire-Kuss, ☎ 222807, III-V

H Couvent du Franciscain, 18, rue du Faubourg-de-Pierre, ✆ 329393, III-V

H Cruche d'Or, 6, rue des Tonneliers, ✆ 321123, III

H De L'Ill, 8, rue des Bâteliers, ✆ 362001, II-V

H Diana Dauphine, 30, rue de la Ière Armeé ✆ 362661, V-VI

H Du Rhin, 7-8, place de la Gare, ✆ 323500, V

H Eden, 16, rue d'Obernai, ✆ 324199, III-IV

H Esplanade, 1, boulevard Leblois, ✆ 613895, IV

H France Best Western, ✆ 323712

H Francs Bourgeois, 7, rue de la Châine, ✆ 326660, IV-V

H Grand Hôtel Concorde, 12, place de la Gare, ✆ 528484, VI-VII

H GrillCampanile, Rue Charles-Péguy Hautepiere, ✆ 294646, V

H Gutenberg, 31, rue des Serruriers, ✆ 321715, V-VI

H Hannong Tulip Inn, 15, rue du 22-Novembre, ✆ 321622, VI-VII

H Hilton, Avenue Herrenschmidt, ✆ 371010, VI-VII

H Holiday Inn City Center, 20, place de Bordeaux, ✆ 378000, VI-VII

H Hostellerie Louis XIII, 133, avenue de Colmar, ✆ 343428, II-IV

H IBIS, 59, route du Rhin, ✆ 601052, III-IV

H Ibis Centre Aux Ponts Couverts, 7, rue de Molsheim, ✆ 224870, IV-V

H Ibis Centre Gare, 10, place de la Gare, ✆ 239898, IV-V

H Ibis Centre Petite France, 18, rue du Faubourg-National, ✆ 751010, IV-V

H Kléber, 29, place Kléber, ✆ 320953, IV-V

H Kyriad Centre Gare, 2, place de la Gare, ✆ 223030, V

H Le Grillon, 2, rue Thiergarten, ✆ 327188, IV

H Lutétia, 2bid, rue du Général-Rapp, ✆ 352045, IV-V

H Maison Rouge, 4, rue des Francs-Bourgeois, ✆ 320860, VI-VII

H Mercure Carlton, 14, place de la Gare, ✆ 157815, VI-VII

H Mercure Centre, 25, rue Thomann, ✆ 227070, V-VII

H Mercure Quartier St. Jean, 3, rue du Maire-Kuss, ✆ 328080, V-VI

H Michelet, 48, rue duVieux-Marché-aux-Poissons, ✆ 324738, II-III

H Monopole Métropole, 16, rue Kuhn, ✆ 143914, V-VI

H Novotel Strasbourg Centre Halles, Quai Kléber, ✆ 215050, VI-VII

H Patricia, 1a, rue du Puits, ✆ 321460, II-III

H Pax, 24-26, rue du Faubourg-National, ✆ 321454, IV-V

H Princes, 33, rue Geiler, ✆ 615519, VI

H Régent Contades, 8, avenue de la Liberté, ✆ 150505, VI-VII

H Régent Petite France, 5, rue des Moulins, ✆ 764343, VII

H Sofitel, place Saint-Pierre-Le-Jeune, ✆ 154900, VII

H Suisse, 2-4, rue de la Râpe, ✆ 352211, IV-VI

H Trois Roses, 7, rue de Zurich, ✆ 365695, III-V

H Urbania, 222, avenue de Colmar, ✆ 403233, IV-V

H Vendôme, 19, rue du Maire-Kuss – 9 place de la Gare, ✆ 324523, III-IV

H Villa d'Est, 12, rue Jacques-Kablé, ✆ ?150606, VI

🏠 Auberge de Jeunesse (Jugendherberge), 9, rue de l'Auberge de Jeunesse, ✆ 302646,

🏠 Auberge de Jeneusse des 2 Rives, Rue des Cavaliers-Parc du Rhin, ✆ 455420,

▲ Camping Montagne Verte, 2, rue Robert Forrer, ✆ 302546

Achkarren R
PLZ: D-79235; Vorwahl: 07662

H Haus am Weinberg, In den Kapellenmatten 8-10, ✆ 778, V

H Krone, Schlossbergstr. 15-17, ✆ 93130, III

H Vulkanstüble, Schlossbergstr. 10, ✆ 207, II-III ▣

Pz Gästehaus Schätzle, Vorholzhof-Winzerhof, ✆ 6705, II

Pz Volk, In den Kreuzmatten 20, ✆ 8291, II

Burkheim im Kaiserstuhl R
PLZ: D-79235; Vorwahl: 07662

H Kreuz-Post, Landstr. 1, ✆ 90910, III-V ▣

Gh Krone, Mittelstadt 17, ✆ 211, II-IV

Gh Zum Adler, Am Kirchberg 2, ✆ 268, III-IV

Pz Kromer, Lazarus-v.-Schwendi-Str. 25, ✆ 6940, II

Pz Sturm, Rheinstr. 3, ✆ 6502, II

Bischoffingen R
PLZ: D-79235; Vorwahl: 07662

H Steinbuck, Steinbuckstr. 20, ✆ 911210, V

Gh Rebstockstube, Talstr. 2, ✆ 1303, II

Pz Rieflin, Römerweg 1, ✆ 453, II

Pz Winzerhof Hiss, Rosenkranzweg 1, ✆ 462, II

Jechtingen R
PLZ: D-79361; Vorwahl: 07662

Gh Sonne, Dorfstr. 26, ✆ 314, II-III ▣

Pz Beck, Rossmattenhof 3, ✆ 577, I

Pz Wein- und Sektgut Helde, Emil-Gött-Str. 1, ✆ 6116, II

Leiselheim R
PLZ: D-79361; Vorwahl: 07642

H Leiselheimer Hof, Meerweinstr. 3, ✆ 907960, III-IV

Pz Brand, Burkheimer Weg, ✆ 2261, I

Pz Hiss, Gestühlstr. 13, ✆ 5971, I-II

Sasbach am Kaiserstuhl R
PLZ: D-79361; Vorwahl: 07642

H Bürger-Stube, Hauptstr. 48, ✆ 3367, III

Gh Zum Löwen, ✆ 1424, II-III ▣

Pz Birkle, Im Fischerdorf 12, ✆ 6154, II

Pz Vogel, Eschenweg 9, ✆ 7867, I

Wyhl R
PLZ: D-79369; Vorwahl: 07642

Pz Zum Adler, Hauptstr. 35, ✆ 7310, II

Rheinhausen im Breisgau R
PLZ: D-79365

Herbolzheim
PLZ: D-79365; Vorwahl: 07643

H Motel Restaurant A5-Westend, Holzmattenstr. 6, ✆ 310

Niederhausen
PLZ: D-79365; Vorwahl: 07643

Gh Hirschen, Hauptstr. 39, ✆ 6736, III

Gh Roth, Rosenweg 4, ✆ 40770, III

Rust R
PLZ: D-77977; Vorwahl: 07822

P Gästehaus Kosel, Fischerstr. 49, ✆ 7006

Schwanau R
PLZ: D-77963; Vorwahl: 07824

🛈 Bürgermeisteramt, Kirchstr. 16, 📞 64990

Ottenheim

PLZ: D-77963; Vorwahl: 07824

Gh Erbprinzen, Schwarzwaldstr. 5, 📞 2442, III-IV 🛏

Pz Schmider, Im Muhrschollen 14, 📞 47169, II

Pz Zipf, Lange Str. 3, 📞 4255 🛏

Pz Gnacke, Finkenweg 7, 📞 2999, II

Allmannsweier

D-77963; Vorwahl: 07824

H Schwanau, Waldweg 43, 📞 6440, IV

Meißenheim   R

PLZ: D-77974 07824

Fw Radstation/Gästehaus i. d. Rheinauen, Kirchstr. 5, 📞 1638 🛏

Neuried-Ichenheim   R

PLZ: D-77743 07807

Gh Schwanen, Hauptstr.63, 📞 801, IV

Neuried-Altenheim   R

PLZ: D-77743; Vorwahl: 07807

Gh Ratsstüble, Kirchstr. 38, 📞 92860

Offenburg   R

PLZ: D-77652; Vorwahl: 0781

🛈 Stadtinformation im Bürgerbüro, Fischmarkt 2, 📞 822000,

H Centralhotel, Poststr. 5, 📞 72004, V

H Drei Könige, Klosterstr. 9, 📞 24390, IV-V

H Hubertus, Kolpingstr. 4, 📞 61350, V

H Mercure, Schutterwälder Str. 1a, 📞 5050, VI

H Traube, Fessenbacher Str. 115, 📞 2842860, VI

H Grafs Adler, Griesheimer Str. 34, 📞 34508, V

H Palmengarten, Okenstr. 15-17, 📞 2080, VI

H Sonne, Hauptstr.94, 📞 932160, V

H Union, Hauptstr.19, 📞 74091, V

H Rebenhof, Talweg 42, 📞 4680, V-VI

Gh Zauberflöte, Lindenpl.12, 📞 24813, III

Gh Krone, Kehler Str. 53, 📞 26151, IV

Gh Adler, Ortenaustr. 10, 📞 54260

Gh Blume, Weinstr. 160, 📞 33666

Gh Sonne, Obertal 1, 📞 93880, V

P Rammersweier Hof, Rosenstr.13, 📞 32780, VI 🛏

🏠 Jugendherberge, Burgweg 21, 📞 31749 🛏

Kittersburg   R

PLZ: D-77694; Vorwahl: 07854

Gh Rössel, Dorfstr. 2, 📞 9077 🛏

Marlen   R

D-77694; Vorwahl: 07854

Gh Wilder Mann, Schlossergasse 28, 📞 96990, V

P Oeschger, Kirchstr. 1, 📞 96690, II-III 🛏

Kehl   R

PLZ: D-77694; Vorwahl: 07851

🛈 Tourist-Information Kehl, Kiosk am Marktplatz, 📞 88226

H Astoria, Bahnhofstr. 4, 📞 3066 od. 9450, III-IV

H Carls, Bahnhofsplatz 1, 📞 485560, V-VI

H Europa, Straßburger Str. 9, 📞 9360, IV-V

H First Aparthotel, Fabrikstr. 1, 📞 79030, IV-V

H Goldenes Lamm, Hauptstr. 83, 📞 955606, IV-V

H Grieshaber's Rebstock, Hauptstr. 183, 📞 91040, V-VI

H Hofreit, Bierkellerstr. 16, 📞 2273, III

H Dimitris Rosengarten, Jahnstr. 8, 📞 958615, V 🛏

H Schwert, Hauptstr. 51, 📞 77580, II-IV 🛏

Hg Ates, Straßburger Str. 18, 📞 885660, V 🛏

Gh Möwe, Hafenstr. 17, 📞 898099, III

Gh Schwanen, Hauptstr. 20, 📞 2735, IV-V

🏠 Jugendherberge, Altrheinweg 11, 📞 2330

⛺ Campingplatz, Rheindammstr. 1, 📞 2603

Sundheim

PLZ: D-77694; Vorwahl: 07851

Gh Sternen, Hauptstr. 334, 📞 77342, IV

Neumühl

PLZ: D-77694; Vorwahl: 07851

Gh Pflug, Elsässer Str. 15, ☎ 2154, III

Gh Sonne, Elsässer Str. 68, ☎ 2422, II

la Wantzenau L

PLZ: F-67610; Vorwahl: 0033(0)388

H La Roseraie, 32, rue de la Gare, ☎ 966344

H Le Moulin de La Wantzenau, 3, impasse du Moulin, ☎ 592222, V-VI

H Relais de la Poste, 21, rue du Général de Gaulle, ☎ 592480, V

Kilstett L

PLZ: F-67840; Vorwahl: 0033(0)388

H A la Couronne, 6, Route Nationale, ☎ 962133, III

Hotel le moulin de la wantzenau

3 impasse du moulin, F-67610 La Wantzenau

in unserer Mühle
wohnen, tagen, arbeiten
schlemmen und schlummern
die Stille des Gartens
das Geräusch der Nacht
im Zimmer empfangen
Friede und Entspannung
Gastlichkeit und Gastronomie

Tel. 0033-388-59 22 22 Fax: 033-388-59 22 00

e-Mail: infos@moulin-wantzenau.com

www.moulin-wantzenau.com

H Oberlé, 11, Route Nationale, ☎ 962117

Gambsheim L

PLZ: F-67760; Vorwahl: 0033(0)3887

🅸 Pavillon du Tourisme, Ecluse du Rhin, ☎ 964408

🅰 Camping Municipal, Rue de la Gravière, ☎ 0033(0)3888/ 964259

Drusenheim L

PLZ: F-67410; Vorwahl: 0033(0)388

Gh La Couronne d'Or, 30, rue du Général-de-Gaulle, ☎ 533036, II

P Auberge du Gourmet, Route de Herrlisheim, ☎ 533060, V

Dahlunden L

PLZ: F-67770; Vorwahl: 0033(0)388

H A l'Etoile et aux Sapins, ☎ 869740

Soufflenheim L

PLZ: F-67620; Vorwahl: 0033(0)388

🅸 Office du Tourisme, 20b, Grand'Rue, ☎ 867490

Roeschwoog L

PLZ: F-67480; Vorwahl: 0033(0)388

🅸 Syndicat d'Initiative, Mairie, ☎ 864218

H Lion d'Or, ☎ 864112

🅰 Camping Staedly, Rue de l'Etang, ☎ 864218

Roppenheim L

PLZ: F-67480; Vorwahl: 0033(0)388

H La Couronne, 8, rue Principale, ☎ 864014

Beinheim L

PLZ: F-67930; Vorwahl: 0033(0)388

H Français, 58, rue Principal, ☎ 864126, III-IV

Seltz L

PLZ: F-67470; Vorwahl: 0033(0)388

🅸 Office du Tourisme, Place de la Gare, ☎ 865264 od. 055979

H A l'Arbre Vert, 43, rue Principale, ☎ 865115, II-III

H A l'Homme Sauvage, 40, rue Principale, ☎ 865060

H Des Bois, 36, route de Hatten, ☎ 055610, III

🅰 Camping Les Peupliers, chemin communal, ☎ 865237, II

🅰 Camping Municipal „Salmengrund", Route du Rhin, ☎ 555905

Munchhausen L

PLZ: F-67470; Vorwahl: 0033(0)388

P Gîte d'Accueil au Pays Rhenan Sarl F. Baumann, 75, rue du Rhin, ☎ 861199

🅰 Camping de Loisirs „Au Rhin et a la Sauer", CD 80- Route du Rhin, ☎ 861180

Mothern L

PLZ: F-67470; Vorwahl: 0033(0)388

🅸 Syndicat d'Initiative, 7, rue de Kabach, ☎ 948667

H A l'Ancre, 2, route de Lauterbourg, ☎ 948199, II-III

Lauterbourg L

PLZ: F-67630; Vorwahl: 0033(0)388

🅸 Office de Tourisme du Canton Lauterbourg, Hôtel de Ville, ☎ 946610

H Au Cygne, 39, rue du Général, ☎ 948059, II-III

🅰 Camping Les Mouettes, ☎ 546860

Berg R

PLZ: D-76768; Vorwahl: 07273

Gh Hagenbacher Hof, Industriestr. 24a, ☎ 5259, III

P Douane, Ludwigstr. 55, ☎ 1660, III-IV

P Haus Therese, Lammstr. 2, ☎ 92129,

Pz Gästehaus „Im Unnerdorf", Ludwigstr. 17, ☎ 1468

Neuburg am Rhein L

PLZ: D-76776; Vorwahl: 07273

Gh Zum Sternen, Rheinstr. 7, ☎ 1253, III-V

P Zur Linde, Bahnhofstr. 4, ☎ 2355, II-III

Rheinau R

PLZ: D-77866; Vorwahl: 07844

🅸 Stadtverwaltung, Rheinstr. 52, ☎ 4000

Diersheim

PLZ: D-77866; Vorwahl: 07844

H La Provence, Hanauerstr. 1, ☎ 47015, III-IV

153

Freistett
PLZ: D-77866; Vorwahl: 07844
Gh Waldhorn, Bahnhofstr. 18, ☎ 868, III

Memprechtshofen
PLZ: D-77866; Vorwahl: 07844
Gh Zur Linde, Hornisgrindestr. 84, ☎ 98919

Helmlingen
PLZ: D-77866; Vorwahl: 07844
H Landgasthof Ratz, Ziegelhof 3, ☎ 07227/2638, IV ♿
Gh Zum Hechten, Hindenburgstr. 4, ☎ 07227/3587 ♿

Lichtenau-Scherzheim   R
PLZ: D-77839; Vorwahl: 07227
Gh Zur Blume, Landstr. 18, ☎ 979680 ♿
Gh Zum Rössel, Rösselstr. 6, ☎ 95950, V ♿

154

Rheinmünster   R
PLZ: D-77836
Heckenmühle
PLZ: D-77836; Vorwahl: 07227
▲ Freizeitcenter Oberrhein, Am Campingpark 1, ☎ 2500
Schwarzach
PLZ: D-77836; Vorwahl: 07227
H Engel, Hurststr. 1-3, ☎ 97960, V ♿
Stollhofen
PLZ: D-77836; Vorwahl: 07227
P Hobelspan, Grüngartenstr. 1, ☎ 8103, III ♿
Hügelsheim   R
PLZ: D-76549; Vorwahl: 07229
H Waldhaus, Am Hecklehamm 20, ☎ 30430, V

Iffezheim   R
PLZ: D-76473; Vorwahl: 07229
H de Charme Zum Schiff, Hauptstr. 60, ☎ 697288, V ♿

Wintersdorf   R
PLZ: D-76437; Vorwahl: 07229
Gh Grüner Baum, Dorfstr. 21, ☎ 30630, V ♿
Gh Landgasthof Kreuz, Dorfstr. 42, ☎ 3535, VI
Pz H. u. H. Igel, Forellenstr. 9, ☎ 5300, II

Rastatt   R
PLZ: D-76437; Vorwahl: 07222
🛈 Touristinformation Rastatt, Herrenstr. 18, ☎ 9721220
H Am Schloss, Schlossstr. 15, ☎ 97170, IV-V
H Brückenhof, Richard-Wagner-Ring 61, ☎ 92790, IV
H Da Franco, Josefstr. 7, ☎ 32103, IV-V

H Holiday Inn, Karlsruher Str. 29, ☎ 9240, V-VI
H Löwen, Kaiserstr. 9, ☎ 34556, IV
H Phönix, Dr.-Schleyer-Str. 12, ☎ 92490, IV-V
H Ringhotel Schwert, Herrenstr. 3a, ☎ 768-0, IV ♿
H Zum Engel, Kaiserstr. 65, ☎ 77980, IV-V
Hg Astra, Dr.-Schleyer-Str. 16, ☎ 92770, V
Hg Schiff, Poststr. 2, ☎ 7720, V
P Zum Goldenen Mann, Herrenstraße 16b, ☎ 32225, V
Gh Kehler Hof, Kehler Str. 43, ☎ 32938, III
Pz Frietsch, Ötigheimer Weg 22, ☎ 6295, II
Pz Storim, Stadionstr. 5, ☎ 30337, II

Niederbühl
PLZ: D-76437; Vorwahl: 07222
H Krone, Favoritestr. 28, ☎ 94300, IV-V
Gh Hirsch, Murgtalstr. 61, ☎ 82465, IV

Ötigheim   R
PLZ: D-76470; Vorwahl: 07222
Hg Kambeitz, ☎ 92580, V ♿
P Blume, Bahnhofstr. 46, ☎ 968890, IV

Plittersdorf   R
PLZ: D-76470; Vorwahl: 07222
🛈 Touristinformation Rastatt, Herrenstr. 18, ☎ 9721220
Gh Adler, Fährstr. 38, ☎ 25855, II
Gh Anker, Fährstr. 56, ☎ 22407 od. 26960, III-IV
P Rheinstrom, Fährstr. 60, ☎ 25577, III
Pz Haus Kliebhan, Lange Str. 27/1, ☎ 27543, II

Rheinstetten   R
PLZ: D-76470; Vorwahl: 0721

H Forchheim-Grießbäuchle, Hauptstr. 37, ✆ 518972, VI

Karlsruhe   R
PLZ: D-76189; Vorwahl: 0721
🛈 Tourist-Information, Bahnhofplatz 6, ✆ 3720-5383

Daxlanden
PLZ: D-76189; Vorwahl: 0721
H Steuermann, Hansastr. 13, ✆ 950900, V

Zentrum
H Elite, Sachsenstr. 17, ✆ 828090, V
H Eden, Bahnhofstr. 15-19, ✆ 18180, VI
H Greif, Ebertstr. 17, ✆ 35540, VI
H Kübler Villa am Park, Bismarckstr. 37-43, ✆ 22633 , V-VI

H Queens Karlsruhe, Ettlinger Str. 23, ✆ 37270, VI

Das Haus der Fischspezialitäten mit dem maritimen Charakter.
Komfortable Manager-Zimmer, Wochenend-Rabatt!

76189 Karlsruhe-Hansastraße 13
(Daxlanden - Rheinhafen) direkt neben dem Radweg
Tel. 0721-950 90-0 Fax -50
E-Mail: info@hotel-steuermann.de
www.hotel-steuermann.de

H Residenz, Bahnhofplatz 14-16, ✆ 37150, VI 🛏
H Rio, Hans-Sachs-Str. 2, ✆ 84080, VI
Hg Am Tiergarten, Bahnhofplatz 6, ✆ 932220, VI
Hg Markgräfler Hof, Rudolfstr. 31, ✆ 697331, VI
P Am Zoo, Ettlinger Str. 33, ✆ 33678, VI
P Stadtmitte, Zähringer Str. 72, ✆ 389637, VI
🛏 Jugendherberge, Moltkestr. 24, ✆ 28248

Neureut
PLZ: D-76149; Vorwahl: 0721
🏕 Camping Azur, Tiengerer Str. 40, ✆ 497236

Stupferich
PLZ: D-76228; Vorwahl: 0721
Gh Sonne, Kleinsteinbacherstr. 2, ✆ 472239, V-VI

Grünwinkel
PLZ: D-76185; Vorwahl: 0721
H beim Schupi, Durmersheimerstr. 6, ✆ 55940, V-VI 🛏

Altlußheim   R
PLZ: D-68804; Vorwahl: 06205
Fw Zahn, Hockenheimer Str. 51, ✆ 33750

Ketsch   R
PLZ: D-68775; Vorwahl: 06202
H Seehotel Ketsch, Am Anglersee, ✆ 6970, V
Pz B. & U. Bondzio, Wilhelmsfelderstr. 9, ✆ 62394, II-III

Schwetzingen   R
PLZ: D-68723; Vorwahl: 06202
H Achat am Schlossgarten, Schälzigweg 1-3, ✆ 2060, V-VI
H Adler Post, Schlossstr. 3, ✆ 27770, VI
H am Theater, Hebelstr. 15, ✆ 10028/29, V

H Berlin, Liselottestr. 22, ✆ 25034/35, III-IV
H Central, Friedrich-Ebert-Str. 34, ✆ 270577 od. 271306, VI
H Zum Erbprinzen, Karlsruher Str. 1, ✆ 93270, VI
Hg Mercure, Carl-Benz-Str. 1, ✆ 2810, V-VI
Hg Villa Guggolz, Zähringerstr. 51, ✆ 25047, V
Pz Brenner, Kleine Krautgärten 5, ✆ 93170, IV
Pz Münch, Zeyherstr. 3, ✆ 279030, III
Gh Badner Hof, Bismarckplatz 1, ✆ 3471, III
Gh Mainzer Rad, Marktplatz 4, ✆ 4524, IV-V
Gh Zum Rheintal, Marktplatz 30, ✆ 15730, III
Pz Baumann, Königsbergerstr. 30, ✆ 607334, III
Pz E.-M. Helmer, Mannheimer Str. 91, ✆ 3891

Plankstadt
PLZ: D-68723; Vorwahl: 06202
Fw R. & O. Sessler, Alsheimer Weg, ✆ 10851, IV-V

Schälzig
PLZ: D-68723; Vorwahl: 06202
Pz Ott, Mittelgewann 12, ✆ 12587, III
Fw Wallner, Kolpingstr. 19/1, ✆ 62404

Oftersheim
PLZ: D-68723; Vorwahl: 06202
Gh Zum goldenen Hirschen, Mannheimer Str. 31, ✆ 54173, IV-V
Fw Bernhard, Richard-Wagner-Str. 2, ✆ 55240

Hirschacker
PLZ: D-68723; Vorwahl: 06202
Fw Müller, Forlenweg 4, ✆ 10164

Brühl   R
PLZ: D-68782; Vorwahl: 06202
H Brühler Hof, Brühler Str. 47-49, ✆ 70490, V

Rohrhof
PLZ: D-68782; Vorwahl: 06202
Pz T. Fleck, Geierstr. 2, ✆ 780454, II
Pz u. FeWo Stemmler, Waldweg 3-5, ✆ 78123

Jockgrim   L
PLZ: D-76751; Vorwahl: 07271
🛈 Verbandsgemeindeverwaltung, Untere Buchstr. 22, ✆ 5990,
H Löwen, Ludwigstr. 20-24, ✆ 981198, IV
Gh Zum Bahnhof, Bahnhofstr. 70, ✆ 51536, III
P Haus Elefant, Bahnhofstr. 2, ✆ 51836, III
P s'Frösch'l Hausbrauerei, Buchstr. 5, ✆ 5478
Fw Prokosch, Ludwigstr. 50, ✆ 505723

Neupotz   L
PLZ: D-76777; Vorwahl: 07272
Gh Zum Lamm, Hauptstr. 7, ✆ 2809, III
Gh Zur Pfalz, Hauptstr. 34, ✆ 8111, II
P Gehrlein, Hauptstr 58, ✆ 2420 od. 71564
P Schehr, Am Burgberg 9, ✆ 740490
P Neupotz, Schmiedhof Aussiedlung 1, ✆ 955682
P Trapp, Weidweg 3, ✆ 4242

Hoerdt   L
PLZ: F-67720; Vorwahl: 0033(0)388
H Au Cygne, 5, rue de Pavé, ✆ 692333, III
Pz Stoll, ✆ 517229

Germersheim L
PLZ: D-76726; Vorwahl: 07274
ℹ️ Touristinfo, Kolpingpl. 3, ✆ 960260
H Bar-Tratoria „Da Michelle" Fischerstr. 13, ✆ 8603, IV
H Germersheimer Hof, Josef-Probst-Str. 15a, ✆ 5050, IV-V 🚲
Hg Kurfürst, Oberamtsstr. 1, ✆ 9510, IV-V
Hg Post, Sandstr. 8, ✆ 70160, IV
P Germania, Klosterstr. 9, ✆ 500970
BB Jochem, Fischerstr. 21, ✆ 500970, II
🏕 Camping Baggersee Germersheim-Sondernheim, ✆ 2100

Lingenfeld L
PLZ: D-67360; Vorwahl: 06344
H Treffpunkt, In den Bellen 1, ✆ 4550, III-IV
H Zur Rose, Humboldstr. 26, ✆ 4151, III

Philippsburg R
PLZ: D-76661; Vorwahl: 07256
ℹ️ Rathaus Philippsburg, Huttenheimer Landstraße, ✆ 870
H Philippsburger Hof, Söternstr. 1, ✆ 5163, IV-V
H City-Hotel Philippsburg, Söternstr. 4, ✆ 8449, III
🏕 Camping Weißhardt, Tullastr. 11, ✆ 1372

Römerberg-Berghausen L
PLZ: D-67354; Vorwahl: 06232
Gh Zum Engel, Berghäuserstr. 36, ✆ 60120, IV 🚲

Speyer L
PLZ: D-67346 Vorwahl: 06232

ℹ️ Tourist-Information, Maximilianstr. 13, ✆ 142392
H Alt Speyer, Große Gailerg. 1a, ✆ 60280, IV 🚲
H Am Technik Museum, Am Technik Museum 1, ✆ 67100, VI
H Domhof, Bauhof 3, ✆ 13290, VI
H Inter City Hotel, Karl-Leiling-Allee 6, ✆ 2080, VI-VII
H Löwengarten, Schwerdstr. 14, ✆ 6270, VI 🚲
H Trutzpfaff, Weberg. 5, ✆ 292529, V
Hg Am Wartturm, Landwehrstr. 28, ✆ 64330, V 🚲
Hg Goldener Engel, Mühlturmstr. 5-7, ✆ 13260, VI
Hg Zum Augarten, Rheinhäuserstr. 52, ✆ 75458, V
Gh Grüne Au, Grüner Winkel 28, ✆ 72196, III
P Kutscherhaus, Am Fischmarkt 5a, ✆ 70592, V
🏠 Jugendgästehaus, Geibstr. 5, ✆ 61597 🚲

Hotel LÖWENGARTEN
Schwerdstraße 14, 67346 Speyer, Tel. 06232 6 27-0

Komfortables Mittelklassehotel (Bett & Bike) im Zentrum von Speyer. 5 Minuten zu Fuß in die Altstadt. 42 Zimmer, mit Bad o.Du/ WC, TV, u. Tel. Restaurant - Fahrradgarage - Bikerservice
info@hotel-loewengarten.de   www.hotel-loewengarten.de

Altrip L
PLZ: D-67122; Vorwahl: 06236
H Darstein, Zum Strandhotel 10, ✆ 4440 🚲
P Casa Rosa, Dalbergstr. 69, ✆ 42660, III 🚲
P Köhler, Römerstr. 2, ✆ 30714 od. 2694, II
🏕 Blaue Adria, Adriastraße, ✆ 3831

Schifferstadt L
PLZ: D-67105 Vorwahl: 06235/ H Zur Kanne, Kirchenstr. 9, ✆ 49000, IV 🚲

Otterstadt L
PLZ: D-67166; Vorwahl: 06232
H Linde, Luitpoldstr. 30-31, ✆ 69900

Ludwigshafen L
PLZ: D-67059; Vorwahl: 0621
ℹ️ Tourist Information, Ludwigstr. 6, ✆ 512035
Zentrum
PLZ: D-67059 + 67061; Vorwahl: 0621
H Europa, Ludwigsplatz 5-6, ✆ 59870, VI
H Excelsior, Lorientallee 16, ✆ 59850, VI
H Best Western Hotel, Pasadena-Allee 4, ✆ 59510, VI
Hg Regina, Bismarckstr. 40, ✆ 902627, III
Hg Viktoria, Bahnhofstr. 1B, ✆ 591710, V
Süd
PLZ: D-67065 + 67067; Vorwahl: 0621
H Gartenstadt, Maudacher Str. 188, ✆ 551051, V
Oppau & Edigheim
PLZ: D-67069; Vorwahl: 0621
H Oppauer Stubb, Fritz-Winkler-Str. 20, ✆ 653874, III

H Pension Deutschhof, Edigheimer Str. 2, ✆ 651107
H Touring, Oppauer Str. 131, ✆ 66970
Friesenheim
PLZ: D-67063; Vorwahl: 621
H Ebertpark, Kopernikusstr. 67, ✆ 69060, V
H Karpp, Rheinfeldstr. 56, ✆ 691078, V
H Weiherhof, Luitpoldstr. 140, ✆ 692750,
Hg Park Pension, Luitpoldstr. 150, ✆ 694521, III
Hg René Bohn, René-Bohn-Str. 4, ✆ 6099100, V
Oggersheim
PLZ: D-67071; Vorwahl: 0621
H Athos, Mannheimer Str. 85, ✆ 6298046
🏠 Jugendgästehaus, Prälat-Caire Str. 20, ✆ 6850999

Mannheim (MA) R
PLZ: D-68159-68309; Vorwahl: 0621
ℹ️ Tourist-Information, Willy-Brandt-Platz 3, ✆ 101011
Zentrum
PLZ: D-68159-68161; Vorwahl: 0621
H Acora, Quadrat C 7, 9-11, ✆ 15920, III-VI
H Alter Simpl, Quadrat P 4,8, V
H Am Kaiserring, Kaiserring 18, ✆ 16880, VI
H Dorint am Rathaus, Quadrat F7, 5-13, ✆ 336990, VI
H Holiday Inn, Quadrat N 6,3-7 , ✆ 10710, VI
H Holländer Hof, Breite Str. 11-12, ✆ 16095, V-VI
H Kurpfalzstuben, Quadrat L 14, 15, ✆ 1503920, V
H Luxa, Quadrat P 5, ✆ 106027, VI
H Mack, Mozartstr. 14, ✆ 12420, V-VI
H The Cruise Cafe Hotel, Quadrat C 7, 9-11, ✆ 15920, V

Hg Central, Kaiserring 26-28, ✆ 12300, IV-VI

P Arabella garni, Quadrat M 2, 12, ✆ 23050, II-V

Neckarstadt

PLZ: D-68167 + 68169; Vorwahl: 0621

H Rhein Neckar Hotel, Riedfeldstr. 107, ✆ 8755990, V

Süd

PLZ: D-68163, 68165 + 68199; Vorwahl: 0621

H Am Bismarck, Bismarckplatz 9-11, ✆ 403096, V-VI

H Augusta, Augustaanlage 43-45, ✆ 42070, V-VI

H Basler Hof, Tattersallstr. 27, ✆ 28816, II-V

H City-Hotel, Tattersallstr. 20-24, ✆ 408008, III-VI

H Maritim Parkhotel, Friedrichsplatz 2, ✆ 15880, VI

H Steigenberger Mannheimer Hof, Augustaanlage 4-8, ✆ 40050, VI

Gasthaus Goldene Gans
Bismarckplatz 7 • 68165 Mannheim
Tel.: 0621/422020 • Fax: 0621/4220260
gasthaus-goldenegans@t-online.de
www.gasthaus-goldenegans.de

Einzelzimmer von 50,- bis 85,- €
Doppelzimmer von 70,- bis 110,- €
Dreibettzimmer von 80,- bis 130,- €
Appartements: auf Anfrage

H Wasserturm, Augustaanlage 29, ✆ 416200, III-VI

Hg Wegener, Tattersallstr. 16, ✆ 44090, IV-VI

Gh Goldene Gans, Bismarckpl 7, ✆ 422020, III-V 🔌

🏠 Naturfreundehaus Mannheim, Zum Herrenried 18, ✆ 303747 🔌

🏠 Jugendherberge, Rheinpromenade 21, ✆ 822718, 🔌

🏕 Camping Strandbad, Neckarau am Rhein, ✆ 8603896

🏕 Camping am Neckar, ✆ 416840

Nord

PLZ: D-68307; Vorwahl: 0621

H Weber, Frankenthalerstr. 85, ✆ 77010, VI

Lampertheim   R

PLZ: D-68623; Vorwahl: 06206

🛈 Rathaus-Service im Haus am Römer, Domgasse 2, ✆ 935100,

H Bed & Breakfast, Friedrichstr. 6, ✆ 18000, IV 🔌

H Darmstädter Hof, Wormser Str. 2, ✆ 94540, IV-V 🔌

H Deutsches Haus, Kaiserstr. 47, ✆ 9360, III-V

H Kaiserhof, Bürstädter Str. 2, ✆ 2693, IV-V

H Reichsadler, Erste Neugasse 41, ✆ 2501, II-III

H Treff Page, Andreasstr. 4-6, ✆ 96950, III-VI

Hg Flair, Industriestr. 25, ✆ 92980, III-IV

Rosengarten

PLZ: D-68623 Vorwahl: 06206

Hg Garni-Ofenloch, Brückenstr. 13, ✆ 06241/25884, III

Bürstadt   R

PLZ: D-68642; Vorwahl: 06206

H Berg, Vincentstr. 6-8, ✆ 9830, IV-V

H Schützenhof, Nibelungenstr. 51, ✆ 6462, III 🔌

Erfelden   R

PLZ: D-64560; Vorwahl: 06158

Pz Maul, Wilhelm-Leuschner-Str. 44, ✆ 4461, I-II

Leeheim   R

PLZ: D-64560; Vorwahl: 06158

H „Bett&Frühstück", Backhausstr. 28, ✆ 975180, II-IV

Langenau   R

PLZ: D-64560; Vorwahl: 06144

P Hofgut Langenau, Rheinaueninsel Langenau, ✆ 2285

Ginsheim-Gustavsburg   R

PLZ: D-65462; Vorwahl: 06134

Ginsheim

PLZ: 65462; Vorwahl: 06134

H Rheinischer Hof Schäfer, Dammstr. 9-14

Gustavsburg

PLZ: 65462; Vorwahl: 06134

H Ditt, Darmstädter Landstr. 12, ✆ 53838, IV 🔌

H Zur Guten Stube Koltermann, Darmstädter Landstr. 123, ✆ 757100, V

Hochheim am Main   R

PLZ: D-65239; Vorwahl: 06146

H Rheingauer Tor, Taunusstr. 9, ✆ 82620 🔌

H Weingut Duchmann, Mainzer Str. 5-9, ✆ 9050, IV-V 🔌

H Zielonka Privathotel, Hajo-Rüter-Str. 15, VI

H Zur Rebe Frankfurter Str. 11a ✆ 8210 🔌

Kostheim   R

PLZ: D-55246; Vorwahl: 06134

H Zum Engel, Mainufer 22, ✆ 18180, III-IV 🔌

H Zum Rosengarten, Hochheimer Str. 156, ✆ 3367, II-IV

Kastel   R

PLZ: D-55252; Vorwahl: 06134

H Alina, Wiesbadener Str. 124, ✆ 934240, V-VI

H Zum Schnackel, Boelckestr. 5, ✆ 62017, IV-VI

Worms   L

PLZ: D-67547; Vorwahl: 06241

🛈 Tourist-Information, Neumarkt 14, ✆ 25045

H Asgard, Gutleutstr. 4, ✆ 86080, VI

H Boos, Mainzer Str. 5, ✆ 947639, III

H Kriemhilde, Hofgasse 2-4, ✆ 91150, VI

H Dom, Obermarkt 10, ✆ 9070, VI

H Faber, Martinspforte 4, ✆ 920900, V

H Lortze-Eck, Schlossergasse 10-14, ✆ 26349, IV-V

H Nibelungen, Martinsgasse 10, ✆ 920250, V

Hotel garni Rheingauer Tor
Taunusstr. 9 • 65239 Hochheim/Main
Tel.: 06146/82620 • Fax: 06146/4000
info@hotel-rheingauertor.de
www.hotel-rheingauertor.de

H Prinz Carl, Prinz-Carl-Anlage 10-14, ☎ 3080, VI
H Weinstube Römischer Kaiser Römerstr. 72, ☎ 498740 📠
H Schlösser, Renzstr. 8, ☎ 45285, III
Hg Central, Kämmererstr. 5, ☎ 64570, V 📠
Hg Hüttl, Petersstr. 5-7, ☎ 90590, III-IV
Hg Kalisch, Neumarkt 9, ☎ 27666, IV-V
P Astra, Heinrich-Beth-Str. 25, ☎ 26463, II
P Weinhaus Weis, Färbergasse 19, ☎ 23500, II
P Zum Kirschgarten, Kirschgartenweg 2, ☎ 384222, II
🏠 Jugendherberge, Dechaneigasse 1, ☎ 25780, 📠

Worms - Ibersheim
PLZ: D-67550; Vorwahl: 06246
Pz Bed & Breakfast Gästebauernhof Menno-Simons-Str. 1,

158

☎ 905081 📠

Worms - Heppenheim L
PLZ: D-67551; Vorwahl: 06241
H Landhotel Bechtel Pfälzer Waldstr. 98-100, ☎ 36536 📠

Herrnsheim L
PLZ: D-67550; Vorwahl: 06241
P Schmitt, Richard-Knies-Str. 87, ☎ 51451, III
P Weingut Sandwiese, Fahrweg 19, ☎ 95610, IV
P Zum Grünen Baum, Gaugasse 9, ☎ 51069, II

Rheindürkheim L
PLZ: D-67550; Vorwahl: 06242
P Halbgewachs, Kirchstr. 44, ☎ 2334, III

Osthofen L
PLZ: D-67574; Vorwahl: 06242
ℹ Stadtverwaltung, Am Schneller 3, ☎ 5004-34
Hotel garni Weingut Schill, Am Mühlpfad 10 ☎ 822 📠

P Zum weißen Ross, Friedrich-Ebert-Str. 50, ☎ 911410, III

Pz Grossert, Hölderlinstr. 8, ☎ 4778, I

Bechtheim L
PLZ: D-67595; Vorwahl: 06242
P Dreißigacker, Untere Klinggasse 4, ☎ 2425, III
P Weingut Schuhmacher, Riederbachstr. 7, ☎ 7675, III 📠

Alsheim L
PLZ: D-67577; Vorwahl: 06249
Gh Hubertus Hof, Mainzer Str. 1, ☎ 5095, III
P Breth, Bachstr. 15, ☎ 4553, II-III 📠

Pz Eicher, Hahlweg 11, ☎ 67234, II-III 📠
Pz Kern, Bachstr. 25, ☎ 4880, II

Flörsheim-Dalsheim
PLZ: D-67592; Vorwahl: 06249/ P Peth, Alzeyer Str. 28, ☎ 06243/908800, V 📠

Guntersblum L
PLZ: D-67583; Vorwahl: 06249
H Pfälzer Hof, Hauptstr. 33, ☎ 7965, III-IV

Dienheim L
PLZ: D-55276; Vorwahl: 06133
Pz Weingut Guldenhof, ☎ 924980, III

Oppenheim L
PLZ: D-55276; Vorwahl: 06133
ℹ Tourist-Information, Merianstr. 2, ☎ 490910
H Merian, Wormser Str. 2, ☎ 94940, 📠
H Gold'ne Krone, Am Markt 4, ☎ 94110, IV
P Zur Sonne, Merianstr. 5, ☎ 1401, III

Nierstein L
PLZ: D-55283; Vorwahl: 06133
ℹ Verkehrs-Verein e. V., Bildstockstr. 10, ☎ 960506
H Alter Vater Rhein, Gr. Fischerg. 4, ☎ 5628, V 📠
H Küferschenke, Abtsgasse 7, ☎ 5100, V
H Rheinhotel, Mainzer Str. 16-18, ☎ 97970, VI 📠
H Rheinischer Hof, Mainzer Str. 28, ☎ 59059, IV 📠
H Villa Spiegelberg, Hinter Saal 21, ☎ 5145, VI
Gh Glockenspiel, Glockengasse 7-10, ☎ 5502, V
P Bildstockhof, Bildstockstr. 31, ☎ 60500, V
P Friedrichshof, Bildstockstr. 8, ☎ 5342, V

P Julianenhof, Uttrichstr. 9, ☎ 58121, IV
P Sternenfelserhof, Oberdorfstr. 16, ☎ 925550, V 📠
Pz Schwibinger, In den Weingärten 13, ☎ 50289, IV

Dexheim
PLZ: D-55283; Vorwahl: 06133
Pz Schaab, Dalheimerstr. 9, ☎ 58960, II
Pz Weingärtner, Am Weihergarten 1, ☎ 925604, III

Nackenheim L
PLZ: D-55299; Vorwahl: 06135
H St. Gereon, Carl-Zuckmayer-Platz 3, ☎ 704590, IV-V

Bodenheim L
PLZ: D-55294; Vorwahl: 06135
ℹ Tourist-Info, Oberg. 22, ☎ 6395
H Battenheimer Hof, Rheinstr. 2, ☎ 7090, IV

H Janssen, Wormser Str. 85-87, ✆ 92450, IV
H Zum Rheintal, Rheinstr. 25, ✆ 92340, IV
H Kirschgarten, Wormser Str. 93a, ✆ 93350, IV
Hg Kartäuserhof, Gaustr. 21, ✆ 702880, IV
P Gruber, In der Hüttstädt 8, ✆ 2371, III-IV
P Kapellenhof, Kirchbergstr. 22, ✆ 2257, II-IV
P Königshof, Obergässchen 8/9, ✆ 4424, II-IV
P May, Kapellenstr. 42, ✆ 933180, III-IV
P Zur Vroni, Steinstr. 5, ✆ 3164, IV
P Weber, Gaustr 28, ✆ 2405, III-IV

Laubenheim   L
PLZ: D-55130; Vorwahl: 06131
Gh Goldene Ente, Oppenheimer Str. 2, ✆ 861160, II-IV

Mainz-Weisenau   L
PLZ: D-55130; Vorwahl: 06131
H Günnewig Bristol, Friedrich-Ebert-Str. 20, ✆ 8060, VI
H Mainzer Schoppenstecher, Wormser Str. 111, ✆ 85426, II-IV
 Jugendgästehaus Mainz, Otto-Brunfels-Schneise 4, ✆ 85332, VI

Mainz   L
PLZ: D-55116-55131; Vorwahl: 06131
i Touristik-Centrale, Brückenturm am Rathaus, ✆ 286210

Süd
PLZ: D-55131; Vorwahl: 06131
H Am Römerwall, Am Römerwall 53, ✆ 2577, V-VI
H Dorint Mainz, Augustusstr. 6, ✆ 954-0, VI
H Favorite Parkhotel, Karl-Weiser-Str. 1, ✆ 80150, VI

H Stiftswingert, Am Stiftswingert 4, ✆ 982640

Zentrum
PLZ: 55116 u.55118; Vorwahl: 06131
H Austria, Kaiserstr. 20, ✆ 270270, IV-V
H Central Hotel Eden, Bahnhofsplatz 8, ✆ 2760, V-VI
H advena Europa, Kaiserstr. 7, ✆ 971070, VI
H Hammer, Bahnhofsplatz 6, ✆ 965280, V-VI
H Hof Ehrenfels, Grebenstr. 5-7, ✆ 9712340, V
H Hyatt Regency Mainz, Malakoff-Terrasse 1, ✆ 731234, VI
H Ibis, Holzhofstr. 2, ✆ 2470, V-VI
H Königshof, Schottstr. 1-5, ✆ 960110, IV-V
H Mainz City Hilton, Münsterstr. 11, ✆ 2780, VI
H Mainzer Hof, Kaiserstr. 98, ✆ 288990, VI

H Mainz Hilton, Rheinstr. 68, ✆ 2450, VI
H Moguntia, Nackstr. 48, ✆ 961240, V
H Neubrunnenhof, Große Bleiche 26, ✆ 232237, V-VI
H Schottenhof, Schottstr. 6, ✆ 232968, V-VI
H Stadt Coblenz, Rheinstr. 49, ✆ 6290440, III-IV
H Terminus, Alicenstr. 4, ✆ 229876, IV

Mainz-Kastel
PLZ: 55252; Vorwahl: 06131
H Alina, Wiesbadener Str. 124, ✆ 06134/2950, V

Budenheim
PLZ: D-55257; Vorwahl: 06139
H Berghotel Hill Budenheim, Finther Str. 32, ✆ 6703

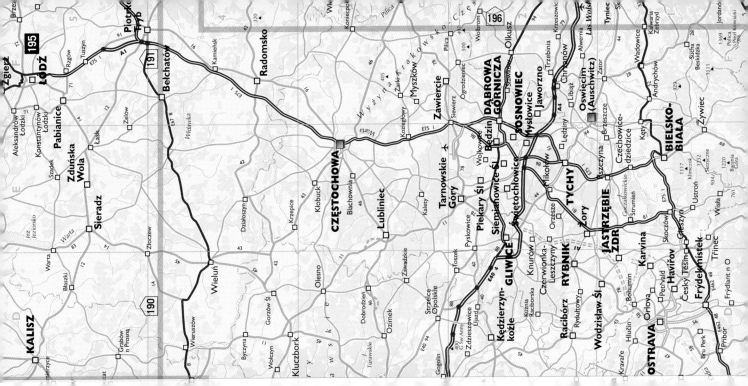

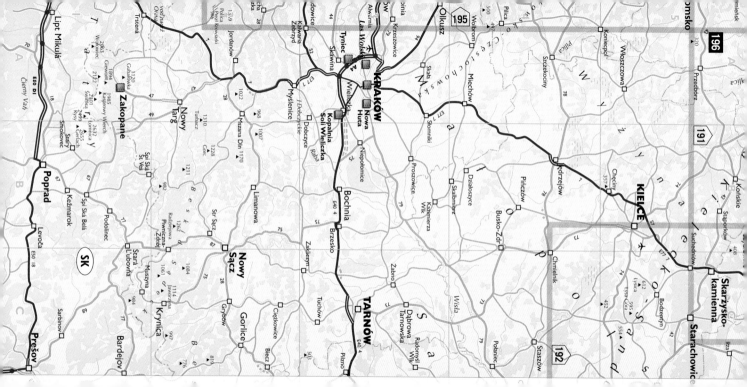

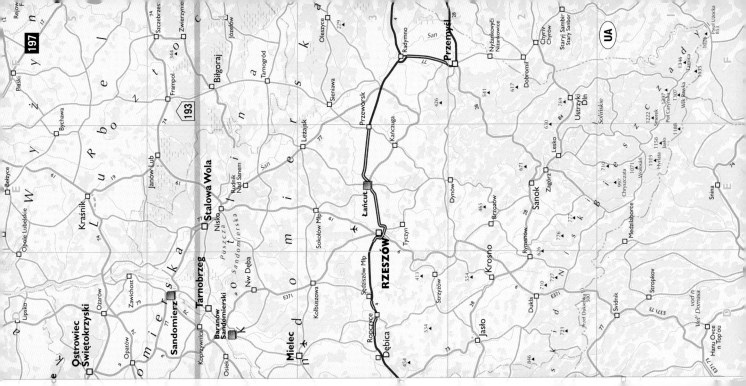

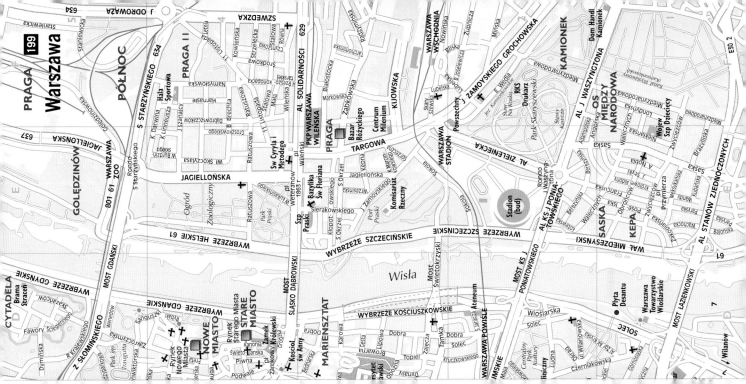

Acknowledgements

Picture Credits

The Automobile Association would like to thank the following photographers, companies and picture libraries for their assistance in the preparation of this book.

Abbreviations for the picture credits are as follows – (t) top; (b) bottom; (c) centre; (l) left; (r) right; (AA) AA World Travel Library.

2(i) AA/James Tims; 2(ii) AA/Anna Mockford and Nick Bonetti; 2(iii) AA/James Tims; 2(iv) AA/James Tims; 2(v) AA/Anna Mockford and Nick Bonetti; 3(i) AA/James Tims; 3(ii) AA/James Tims; 3(iii) AA/James Tims; 3(iv) AA/Anna Mockford and Nick Bonetti; 51 AA/James Tims; 5c AA/Anna Mockford and Nick Bonetti; 5r AA/James Tims; 6-9 AA/James Tims; 10 Polish National Tourist Office; 12 Keystone/Getty Images; 13 Arturo Mari/AFP/Getty Images; 14-15 AA/Anna Mockford and Nick Bonetti; 16/17 AA/James Tims; 18c AA/Anna Mockford and Nick Bonetti; 18b AA/James Tims; 19t AA/Anna Mockford and Nick Bonetti; 19c AA/James Tims; 19b AA/James Tims; 21-23 AA/James Tims; 24l Polish National Tourist Office; 24r Polish National Tourist Office; 25 Polish National Tourist Office; 26 AA/Anna Mockford and Nick Bonetti; 27l AA/Anna Mockford and Nick Bonetti; 27c AA/James Tims; 27r AA/James Tims; 37-70 AA/James Tims; 75-91 AA/Anna Mockford and Nick Bonetti; 97-155 AA/James Tims; 161 AA/Anna Mockford and Nick Bonetti; 162-164 AA/James Tims; 165 AA/ Smith; 167-169 AA/Anna Mockford and Nick Bonetti; 170-172 AA/James Tims; 173l AA/James Tims; 173c AA/James Tims; 173r AA/Anna Mockford and Nick Bonetti; 177 AA/James Tims

Every effort has been made to trace the copyright holders, and we apologise in advance for any accidental errors. We would be happy to apply the corrections in the following edition of this publication.